ちくま学芸文庫

解放されたゴーレム

科学技術の不確実性について

ハリー・コリンズ　トレヴァー・ピンチ
村上陽一郎　平川秀幸 訳

筑摩書房

Copyright © Cambridge University Press 1998

This translation of THE GOLEM AT LARGE:
WHAT YOU SHOULD KNOW ABOUT TECHNOLOGY
is published by arrangement with CAMBRIDGE UNIVERSITY PRESS
through Japan UNI Agency. Inc., Tokyo.

目次

解放されたゴーレム　科学技術の不確実性について

オウェイン・ピンチの思い出とサディー・コリンズに捧ぐ

まえがき

1章の大部分と3章全体を除いて、本書の実質的部分のほとんどは、他の人々の研究紹介になっている。この点でわれわれは、ゴーレム・シリーズの第一巻の形式を踏襲している。このまえがきと他の章で議論されている研究に関する完全な書誌情報は、他の参考文献とともに本書の巻末にまとめてある。

各章の典拠について簡単に説明していこう。1章は、パトリオット・ミサイルの成功を巡る論議をコリンズが再構成したものである。その典拠は主に、一九九二年四月に開かれたアメリカ議会公聴会の記録と、主要な論客であるセオドア・ポストルとロバート・シュタインによって書かれた論文であるが、他の資料にも広く目を通している。この章は、他の人々の議論をそのまま紹介したものではなく、ミサイルの成功に関する異なった定義の仕方に基づいた新しい分析的枠組みを用いている。しかしながらその説明は、ポストルによる先行研究なしには為し得なかったことは明らかである。ポストルは実に寛大な心で、沢山の関連資料をコリンズに提供し、より深く関心を刺激してくれた。とはいえコリンズは、自分の説明が過度にポストルの見方に影響されたものにならないように、そして利用した資料も偏りがないように努めた。1章を読めば、その説明が、スカッド・ミサイルの弾頭はほとんど一つもパトリオットによって破壊されなかったというポストルが表明している立場を繰り返したものでないことが、はっきりするだろう。コリンズが試みたのは、ポストルが正しい可能性を強く残しながらも、何らかの明白な結論に至ることの難しさを強調することである。

2章は、ダイアン・ヴォーンの著書『チャレンジャー号打ち上げの決定――NASAにおけるきわどい技術、文化、逸脱』に基づいている。初期の執筆段階においてピンチは、『チャレンジャー号――重大な誤作動』というマコンネルの著書、「スペースシャトル・チャレンジャー号事故大統領委員会報告書」、およびギエリンとフィガートの論文「社会の中の科学に関する理論の諸要素」を読んでいた。この主題に関するピンチの初期の論文は巻末の参考文献に記してあるが、実に念入りなヴォーンの研究によって、チャレンジャー号の打ち上げが決定されるまでの出来事の詳細な歴史的民俗誌が与えられ、その新しい解釈が可能になった。

3章は、参考文献にもあるコリンズ自身の論文「公開実験と妙技の披露――コアセットの再考」を簡単に紹介したものである。

4章は、サイモン・コールの論文「化石と石油、どちらが先か」に基づいて書かれている。この論文は当初、コーネル大学でピンチが受け持った講義の学期末レポートとして書かれたものである。ピンチは、ゴールド事件に関するコールの未発表論文も入手している。ビル・トラヴァースとビル・トラヴァース・ジュニアには、この章の初期草稿に目を通してもらったことを感謝したい。

5章「快適さと歓びの知らせ」の実質的部分は、ロバート・エヴァンズの論文「占いか科学か――マクロ経済モデルにおける反駁、不確実性、社会変化」に対するコリンズの解釈に基づいている。それぞれの引用は、エヴァンズと経済学者たちとの討論からのものである。コリンズは、エヴァンズが一九九二年から九五年までバス大学の博士課程に在籍していたときの指導教官であったため、実に多くの議論をエヴァンズと交わす機会に恵まれていた。「占いか科学か」は、参考文献にも収録したエヴァンズの学位論文に基づく論文である。

誤解すべきでないのは、すべての経済学者が、オルメロッドとウォーリスが明らかにしたような経済学の問題点やアイロニーに気づいていないわけではないということだ。一九九三年二月から九四年二月までの間に関するイギリス政府の報告書「独立した経済予測家たちの委員会」(七賢人)も、5章の重要な情報源であった。コリンズは、彼自身の論文「複製の意味と経済の科学」から得られたアイデアも利用している。

推察もいくぶん含んでいる5章の「検討」と「後記」については、懐疑的な引用のほとんどは経済学者たちから得たものだとはいえ、文責が本質的にわれわれ著者にあるということは強調しておきたい。

6章でピンチは、チェルノブイリ事故による放射能がイギリス・カンブリア地方の牧羊農家に与えた影響に関して、ブライアン・ウィンが出したいくつかの論文を利用している。それらの論文は参考文献に収録してある。

7章は、スティーヴン・エプスタインの著書『不純な科学——AIDS、アクティヴィズム、知識の政治学』と論文「素人専門知の構築」に基づいて、ピンチが書いたものである。

すべての章にわたって、ピンチとコリンズは互いにすべての草稿に目を通し、書き直しを行っており、すべての文責は両者が共に負うものである。

われわれの説明が依拠している研究成果を生み出した著者たちの努力と寛大さには、このうえなく感謝している。いつの場合も彼らは、惜しげもなく時間と労力を割いて、彼らの仕事に対するわれわれの解釈に目を通し、彼らの意図からわれわれが外れ過ぎないよう導いてくれた。ウィーブ・バイカーとクヌート・ソーレンセンには、序論と結論を読んでもらい、助言をいただいた。本書のタイトルに〝at Large〟(危険人物などが自由で、捕らわれないでの意)を提案してくれたパーク・ドゥーイングにも感謝している。もちろん、他の人々の研究に関するわれわれの説明や、形式の不備、判断や分析の誤りの責任は、すべてわれわれのものであることは言うまでもない。

序論　技術のゴーレム

科学は救世主か、さもなければ悪魔のように思われている。科学を愚かな秘術に攻撃される十字軍の騎士さながらと受け取る人もいれば、無知の克服の上に新しいファシズムの兆しを見ようとする受け取り手もいる。また科学こそ我が敵と思う人もいる。なぜなら、われわれの住む優しき惑星、じっくりと、様々な犠牲を払いながら育て上げてきたわれわれの正邪の感覚、詩的なもの、美的なものへのわれわれの感受能力、こうしたもののすべてが、利益のことしか念頭にない資本家どもに支配された技術官僚主義――文化の対極にあるもの――によって蝕まれているからである。科学は農業の自給を可能にし、心身障害を癒し、友人・知人のネットワークを世界中に広げてくれるものだという人もいる。科学は戦争のための武器を供給し、神の恩寵を失ったスペース・シャトルでの高校教師の死を誘い、そしてあのチェルノブイリの、密かにわれわれの骨を蝕む裏切りをさえもたらすものと見る人もいる。

こうした考え方のなかにある、科学即救世主という見方も、悪魔と見る見方も、ともに誤りであり、危険である。科学の品格は、高潔な騎士道でも、残忍な破壊神でもない。では、科学とは一体何か。科学はゴーレムなのだ。

ゴーレムとは、ユダヤの神話の産物である。粘土と水を材料に、呪文と魔術で味付けをした、人造人間である。それは力持ちである。日々毎日少しずつ強くなる。命令は聞くし、仕事は代わってくれるし、安全を脅かすあらゆる敵から、人間を守ってもくれる。しかし、それは不細工で扱い難く、危険でさえある。ゴーレムはちょっと目を離すと、主人をめちゃめちゃにしかねない。不格好な愚か者で、自分がどれほど力を持っているか、自分が如何に不細工で無知か、どちらも知らないのである。

われわれの思い描くゴーレムは、邪悪なものではないが、愚か者である。ゴーレム科学は、したがって、その誤りのゆえに非難されてはならない。過っているのはわれわれ自身なのである。ゴーレムが最善を尽くしているなら、非難はできない。しかし、過剰な期待を彼に抱いてはならない。力持ちではあるが、ゴーレムはわれわれの技術の産物であり、われわれの作業の結果だからだ。

以上は、このシリーズの第一巻である『ゴーレム――科学について知っておくべきこと』(邦訳『七つの科学事件ファイル――科学論争の顚末』)(1)からの抜粋であり、なぜゴーレムという概念を選んだのか、その動機を説明したものである。本書でのわれわれの主題は科学自体から、その応用場面へ移っているが、事態はそう変わるわけではない。第一巻と同じように、本書は七つの物語からできている。それらをわれわれはテーマとして選んだ。湾岸戦争で、パトリオット・ミサイルがスカッドを打ち落とすのに成功したかどうか、決めるのはとても難しいのである。スペース・シャトル「チャレンジャー号」の爆発は誰もが非難するが、実はその原因解明は普通考えられているほど簡単にはできないことである。列車や航空機の衝突テストをやってみても、そこから安全性に関して結論めいたものを引き出すことも、見掛けよりははるかに難しい。石油の起源についても、考えていたよりははるかに諸説あって、一つに絞ることは困難である。イギリス政府の顧問たちの手で造られた経済モデルは、およそ不確定的で、ほとんど経済予測など無意味という有り様である。チェルノブイリで放出された放射性物質がどのような結果を生み出すか、ということも、公的な専門家たちの判断は誤っていた。エイズの治療法の研究には、医師や研究者の側だけでなく、患者の側にも「専門家」が必要であることが判ってきた。

こうした話は、それだけで、十分興味深いものである（と期待している）。しかし、それらの持つ包括的な意義は、ゴーレム科学のなせる業という観点から捉えて、初めて理解されるべきものとなる。技術（厳密ではないが、「応用科学」と同義に使うことにする）の問題は、科学の問題のもう一つの側面なのである。

前著『ゴーレム』と同様、本書の構成は極めて単純である。話の本質は、一つ一つの物語それ自体のなかにある。ただ、それぞれの短い結論のなかでは、そこから得られる教訓にも触れている。結論は実質が伴わない限り信頼できるものにはならないはずである。ここでの議論の基礎は、科学的知識の歴史とその社会学から導かれるものであるが、そうした領域から援用する専門的な原理は少数にとどめてある。前著と同様に、「実験者の悪循環」という概念は頻繁に利用している。この概念によれば、一つの実験が疑う余地のないような結果を得る、ということは困難であり、それは、何が正当な結果であるべきか、ということを知らないままに、ある実験が正当に行われたかどうかを判断することができないからである。

この書物で導入されるもう一つの概念は、科学や技術においては、ちょうど恋愛の場合と同じで、「離れていることが、魔力を増す」というものである。つまり、科学や技術に関する論争では、離れたところから見た方が、はるかに割り切れた直裁な形になる、ということである。愛するものから離れれば離れるほど、その欠点は忘れられて、愛すべきところだけが思い出されるのと同じである。科学・技術も、他人のどうしても単純化されがちな見解を通じて伝聞的に理解される場合には、如何にも純粋なものに見えてしまう。激しい論争の中心に近付けば近付くほど、そう簡単にこういうものだとは言えなくなり、複雑に思われてくるものである。皮肉なのは、通常の常識から期待されることとは正反対に、ある出来事について直接的経験が深まれば深まるほど、何が正しいか、という判断が怪しくなってくる。

さて第三番目の概念は、パトリオット・ミサイルを扱う章で多用されるものだが、「証拠の置かれた文脈」という概念である。この概念は、同一の実験結果の意味は、その結果が適用される問題意識によって、肯定的にも否定的にもなり得る、ということを示している。

さて、一つ一つの話のなかでは、技術的に詳細にわたるところは、できるだけ判りやすい形で示したつもりである。本書の最終的結論に賛成できないと思われる読者でも、技術的な側面について、本書を読まなければ出会う機会のなかったような説明は得られた、と思ってもらえればと念じている。基本的に技術的ヒロイズムを語ることになるが、それは決して超人的な離れ業としてではなく、飽くまでも人間の努力として描いている。技術というのは、恐ろし気で神秘的なものであるはずはない。むしろ台所や庭のなかで出会えるような身近なもののはずである。いずれ判っていただけるように、先端的な現場で行われる意思決定も、本質的には、コックや植木屋が行っているものと大差はないのである。

技術が使われ、あるいは演じられる条件は、科学研究室での条件設定よりは緩やかな管理の下にある。本書で明らかにするように、技術の不安定性に直面した人々は、つい科学のような厳密な管理をすれば、決定的な解決になると思いがちである。しかし、技術に疑念が生じたとしても、科学はその救助策にはなれない。技術の持つ複雑さは、科学自体を絶対的なところへ持ち込めない複雑さと同じものなのである。実験装置は技術の所産であるが、子細に眺めれば、研究室内部を支配する状況は、その外部と同じように、厳密さを欠いている。科学も技術もわれわれ人間の技芸が造り出したものである。どちらも、われわれ自身の業の程度に応じて完全にもなれば不完全にもなる。前著『ゴーレム』でも示したように、研究の最先端での科学というのは、一種の業の世界である。その事実に由来する不安定性を決して免れ得ない。先端的な技術もまた同様である。

技術者が科学の無欠さを夢見るのは、日常の技術の信頼度が、科学の確かな無謬性と思われるものを明証していると受け取られるからである。ロケットは月へ行くし、飛行機は一万メートルの高空を飛ぶし、この書物を書いているワードプロセッサーは、その設計の際に使われた理論の決定的正しさの証拠のように思われる。しかし、このような議論にも問題は残っている。最大限に管理された条件の下で仕事をしている科学者たちが、彼らの世界のなかでの位置を立証し、あるいは彼らのやっていることの真理らしさを立証しようとして、研究室の中に立ち入ることを認めようとしないのは何故だろうか。技術が科学の幹部であるとして、例えばチェルノブイリにおける炉心溶融や、スペース・シャトルの爆発の場合のように、技術が過ちを犯したとき、なぜ科学は傷付かないことになるのだろうか。例えば樽造りや馬車の車輪造りのような立派な技術が、科学とは金輪際無関係であるように見える、というのは一体どうしてなのか。技術の信頼性から引き出される議論には、一種の「負けなし」論が含まれている。チェルノブイリやスペース・シャトル事故でも、もしことがうまく運べばそれは科学のおかげで、しかしうまく運ばなければそれは科学のせいではない、ということになる。こうした「負けなし」論は、技術の失敗は科学のせいではなく、人間やその組織の失策によるがゆえに、決定的な強制力を持っている。

科学があまり確実ではないと思われる場合には、技術が、その擁護論に駆り出される。技術が確実でないと思われる場面では、科学がその救護に当たる。責任はたらい回しさながら、たらいからこぼれ落ちれば、こぼしたのはいつも人間だということになってしまう。両者の関係についてのここでの描図は、そんなに面倒な形はとらない。科学も技術もともに熟練を要する営みであり、そこでの熟練は、常に誤らないほど正確なものと保証はできないものである。技術は科学を保証できないし、科学もまた技術の保証にはならない。

そうだからと言って、本書の読者が飛行機に乗り込むに当たって、これまでよりもっと心配した方がよい、と言うつもりはない。科学が誰も疑問も論議も持ちようのないような事実的発見の域に入ることがあり得るように、技術も人間が経験を深め能力を養うにつれて、確実に信頼性を高めていくものである。重力波の検出器だとか、太陽のニュートリノの計測器の働きは、議論の余地のある事柄である。しかし、電圧計や、地上に設置された小型の望遠鏡の働きに議論の余地はもはやない。スペース・シャトルやエイズ治療薬の働きは、論議の残ることだが、樽、馬車の車輪、あるいはパソコン、自動車の働きは、もはや論議は不要である。

科学と技術とが同一だと言うとすれば、それはとんでもない話だ。典型的には、技術は科学よりも、政治や軍事力や経済効果などに直接的に繋がっている。したがって、後に見るように、パトリオットという対ミサイル用ミサイルが成功したか否かという議論の結果は、それを製造する会社の経済的な将来や、中央政府の軍事的な状態に直接繋がってくる。同じような影響関係は、本書で論じられるどの事例にも等しく見られるものである。これに反して前著では、科学と国家や経済環境との関係は、はるかに希薄であった。しかしながら、このような差は、程度の問題でもある。軍事や政治や経済などの社会的権力が、議論の活発化や永続化に影響を与えるのは、なるほどある種の技術上の問題だけに限られるが、しかし、科学や技術における知識の構造のなかにも、こうした権力の隠れた影響を見出すことができる。あらゆる人間の活動は社会のなかで起こるのだから、どんな科学も技術もその中核には社会がある。

本書は、どういう順番に読んでいただいても構わないが、最後の方では「非専門家の専門性」の役割が最も強調されている。ゴーレム科学やゴーレム技術という考え方では、科学や技術に関する問題である限り、すべての人々の見解が等価だなどとは考えない。それどころか、ゴーレムのシリーズでは、専門性というものに重きを置いている。けれども、専門性の境界はどこに引いたらよいのだろうか。本書後半の事例の場合に明らかなことは、専門性の領域というものが、どんな科学的教育を受け、どんな資格を持っているか、というような形式的なこととは必ずしも繋がらないという点である。

本書で扱われているカンブリア地方の牧羊農夫やエイズ患者のような場合、通常の意味では非専門家に当たる人々が技術上の意思決定に決定的な貢献をしている事例になるわけだが、彼らが非専門家と考えられる理由は、特別な資格を持っていないというだけのことなのだ。実際、カンブリア丘陵の水脈や羊の行動に関しては、農夫たちは専門家なのであり、エイズ患者たちも、エイズにかかった人々がどのように行動し、何を求め、どんな権利意識を持っているかという点で、知り得る知識のほとんどすべてを身につけている。その上、時間が経てば経つほど、患者たちは、医学研究における専門用語や専門概念についても使いこなせるように自己啓発を行うのである。こうした人々を技術上の意思決定過程のなかに組み込むことは、単に民主的という見地からのみ理解されてはならない。通常の意味では専門家とは言えないようなところで見出すことができる専門性を利用するのは、それ自体良いことなのである。

本書の事例では、非民主的な姿勢が、こうした「非専門家の専門性」ということの認知を遅らせた、と考えることができるかもしれないが、結末は民主的ということを超えたものだった。要するに、公衆の一人の構成員が、公衆の構成員として、技術上の意思決定に、どのような専門性を発揮するか、ということなのである。専門性に関する認知という問題が、政治の領域に完全に委ねられてしまうには、専門性という概念は貴重に過ぎる。非専門家の政治的活動は、専門性は専門家にこそあるという非専門家のまどろみから、彼らを引き剝がすために必要であるかもしれないが、そうしたことがうまくいって、それなら専門性などというものは、真面目な関心と置き換えられるものだ、などという安易な結論に飛びつくのも誤りである。

権威主義的な姿勢は、科学や技術を神秘的なものと見なすような傾向から生まれてくる。通常の理性的な考え方による理解をはるかに超えて、知識の探求には何か特別な聖職者風の身分が必要なのだ、というわけである。民主的社会のなかで科学や技術をどのように扱えばよいか、という理解に達し、一方でテクノクラシーからポピュリズムに向かう傾向にどう歯止めをかけるかは、科学や技術をゴーレム的なものとして理解する、つまり専門性に由来する誤りがちな傾向が新たな応用の領域へと浸透していくような営為として理解することを通じて、初めて達成できるのである。

最後に、ここではっきりさせておきたいが、結論が議論を引き起こすような事例だけを取り上げているという点である。こうした出来事は、統計的に言えば科学・技術の標準的事例ではない。科学・技術の大部分はそうした議論にはならないのである。しかし、議論は知識の根元を表象するものである。議論は知識が立ち上がる様を示してくれる。技術の未来へ旅立つに当たって、技術の過去は行く先への道筋を示す鏡と受け取られる。しかしこうした後ろ姿の姿見は、とかく何事も、考えられる以前からすでに段取りがついていたかのような歪んだ見方を提供する。本書は、そうした後ろ姿の見方からわれわれを解放しようとするものである。

注

(1) 実際『ゴーレム』は、最初『科学について誰もが知っておくべきこと』という副題を付してあった。その後の改訂版では、この標題は少し変えられ、また初版への科学者たちの批判を扱ったかなり長い「後記」を付け加えてある。

1章　鮮やかな撃墜？　湾岸戦争におけるパトリオット・ミサイルの役割

湾岸戦争

一九九〇年八月、イラク軍はクウェートに侵攻した。アメリカはイラクに最後通牒（つうちょう）を突きつけた。「撤退せよ。さもなくば軍事衝突である」。これに対しイラク大統領サダム・フセインは、「聖戦」にうって出るという脅しで答えた。それから四週間の間にアメリカは、サダムの軍隊をクウェートから撤退させようとして、隣国のサウジアラビアに兵力を集め始めた。対決的な姿勢を見せていたイラクの軍事施設すべてを破壊できる兵力を築き始めたのである。

差し迫った衝突の規模とアメリカ本土からの距離を考えれば、アメリカは、国連の支持と、とくにイラク近隣諸国からの軍事的・政治的な協力を必要としていた。この同盟関係のきわどさは、アラブ諸国が、仲間のアラブ国を攻撃する西側勢力につくという点にあった。古人いわく「我の敵の敵は友なり」。当時、エジプトを除くすべてのアラブ諸国には共通の敵、イスラエルがあった。このイスラエルとの対立において、イラクは重要な配役だと目されていたのに対し、アメリカはイスラエルの堅固な同盟者であった。したがって、アメリカが保持しなければならない政治的同盟関係は、絶えず崩壊の危機にあった。来る湾岸戦争に向かうアメリカにとっては、イスラエルが対立に加わってこないことが肝要だったのだ。もしもイスラエルがイラクを攻撃することにでもなれば、中東紛争におけるアラブ同盟国の一つをイスラエルが攻撃するのを、他のアラブ諸国が直接支持するということになってしまう。そうなればアラブ諸国がアメリカを支持し続けることは不可能になってしまう。イラクの戦略は明らかだった。イラク軍のクウェート侵攻から始まった対立にイスラエルを巻き込むこと、である。

一九九一年一月一七日、多国籍軍はイラクに、四週間にわたって続くことになる大規模な空襲を開始した。四日間の壊滅的な爆撃の後、戦闘は二月末まで続いた。以上が、パトリオット迎撃ミサイルの有効性を巡ってわき起こった論争を取り囲む状況である。

空爆の最初の夜、イラクはイスラエルに向けて六基のスカッド・ミサイルを発射した。スカッドは元々ソビエト製だが、イラクで飛行距離と射程範囲を拡大され、当地では「アル・フセイン」の名で知られていた。その後イラクは、もっと多くのスカッドをイスラエル、そしてサウジアラビアのとくにアメリカ軍の拠点を狙って発射した。二月二五日には、スカッドがアメリカ軍の兵営に命中し、二八人の死者と九八人の負傷者を軍関係者に出した。ただしこれは、いくつかのスカッドが着弾し爆発したにもかかわらず、それらの殺傷および物的破壊能力の点で失敗があったことを物語っている。しかしながら、プロパガンダと政治的武器としてのスカッドは、戦闘の当初から潜在的に有力な戦闘力であった。

パトリオット・ミサイルは、スカッド・ミサイルに対抗するために湾岸戦争で使われた。初めはサウジアラビアで使われたが、イスラエルにも最初のスカッドが着弾すると直ちに配備された。スカッドの戦闘上の無効性は、パトリオットの成功によるものだったかもしれない。またパトリオットは、その軍事的有効性がどの程度であるかとは無関係に、イスラエルを戦争から引き離しておくのに重要な役割を演じたのかもしれない。事実、イスラエルはイラクを攻撃せず、同盟関係は保たれたのであった。最も信頼できる情報によれば、戦争を通して四〇基以上のスカッドが多国籍軍に向けて発射され、約四〇基がイスラエルを襲った。そして、四七基のスカッドが一五九基のパトリオットから攻撃された。問題は、パトリオットは実際に何基のスカッドを破壊したのか、である。

戦争、科学、テクノロジー

戦争は、混乱した、そして混乱を生む活動である。戦闘指揮に関する著述で尊敬を集めているマーチン・ファン・クレフェルトも、彼の著書『戦争における指揮』の中で、戦争とは「人間のすべての営みのなかで最も混乱し、かつ混乱を生み出すものである」と述べている。パトリオットのケースでは、技術的な混乱と「戦争という混乱」が、同じところに極めて尋常ならざる結果を伴って見出されるのである。私たちが解明したいのは、パトリオットが実際にスカッドを打ち落としたかどうかが不明のままであり続けることが、いかにして可能なのかということである。確かにそれぞれに堅固な見解はある。しかし、未だに私たちは、パトリオット迎撃ミサイルはスカッドがイスラエルに命中するのを防いだのか、サウジアラビアに命中するのを防いだのか、それとも防ぐのにまったく失敗したのかが判らないのである。

実験の成否は、いかにして「ノイズ」から「信号」を選り出せるかにかかっている。次のように仮定してみよう。あり得る最も明白な「信号」は弾道弾の爆発であり、それは十分に「ノイズ」から分離できたと。この場合、スカッドは迎撃をかいくぐり大爆発を起こしたか、パトリオットがスカッドを破壊し爆発を防いだか、のいずれかである。では実際に、技術システムを評価するより曖昧さの少ない方法には、どんなものがあったのだろうか。実を言えば、それは甚だ貧弱なテストでしかなかった。推定されたパトリオット・ミサイルのスカッド撃墜に関する有効性の評価は、一〇〇%近くから〇%近くまでばらついている。すなわち、狙ったすべてのスカッドの弾頭を破壊したという評価もあれば、ただの一つも命中していないというものもあった。

パトリオットの評価に関する物語は、戦争継続中の一九九一年初頭に始まる。初めは一〇〇%の成功が報じられたが、一九九二年四月の議会公聴会の時期までに〇%近くまで落ち込んだ。信頼できるものとして主張された撃墜数は、まず四五基中四二基に変わった。その後撃墜率は、サウジアラビアでは九〇%、イスラエルで五〇%となり、次いでサウジアラビアで八〇%、イスラエルで五〇%、そして全体で六〇%になり、さらに信頼できるもので二五%、完全に信頼できるのは九%、ついにはサウジアラビアで一基、イスラエルで恐らく一基が撃墜されたらしいというところまで行き着いたのである。これが、アメリカ政府当局による、より念入りな調査の結果として起こったことである。

ここで重要なのは、下限の数値について誤解しないことである。それらの数値は、何基のスカッドがパトリオットに破壊されたかを物語っているのではない。それらは、パトリオットに破壊されたと確信を持って言えるスカッドは何基であるか、に関する評価値を示しているのである。もしかしたら、もっと多くのスカッドが破壊されたのかもしれない。しかし、より高い確実性を求めるならば、評価は低い値にとどまり続けるのである。

この論争には、極めて明確な目標を持ったグループがいくつか加わっていた。一九九二年には、パトリオット・システムの製造元であるレイセオン社の代表たちが、パトリオットはほとんどのスカッドを打ち落としたと主張していた。他方、パトリオットの成功に関する楽観的な主張を疑うよう、最初に公衆の注意を向けさせたマサチューセッツ工科大学のセオドア・ポストルは、パトリオットはほとんど完全な失敗作だと自分は証明できると、強く主張し続けている。しかしながら、私たちの関心と好奇心を刺激するのは、パトリオットが実際に成功したのかどうかではない。論争を終結させることの難しさである。私たちは、自分たちの関心を長々と説明しようとは思わないし、また、誰の証拠が偏向しており、何故そうなのかについていかなる答えも与えるつもりもない。私たちが示したいのは、ただ、測定の問題は解決するのが難しいということ、そして鮮やかな科学的撃墜などないし、またできないということである。

パトリオットは成功したか

「戦争の第一の犠牲者は真理である」と言うと、「戦争の主要な兵器は嘘である」という、より重要な要点をつかみ損ねてしまう。偽情報は敵を混乱させる。都合よく偏向を加えた成功の報告は、味方の決意を堅くし、敵方の士気をくじくのである。したがって、パトリオットは巨大な成功を収めたと戦争継続中に言うことは、何ら驚くべきことではない。士気のバランスを保つためにそれが重要だっただけでなく、サダム・フセインの軍隊が抵抗なしにユダヤ人国家に被害を与えることなど許されていないのだ、とイスラエルの民に広く信じられることが極めて重要だったのである。政治家たちが自分たちの主張を信じていようといまいと、パトリオットが華々しい成功を収めたということ以外の発言は、ばか正直で非愛国的であっただろうということを、公平のために言っておきたい。戦時中の発言から科学や技術について何らかの結論を導くことは誤りだろう。ミサイルの成功に関する戦時中の主張は、真理の要求ではなく、戦争の要求を反映しているのである。戦争開始後二週間たった一月三一日、ノーマン・シュワルツコフ将軍はこう言った。「これまでのところ一〇〇%だ。狙った三三基のうち三三基すべてが破壊されたのだ」。戦争開始から一カ月後の二月一五日にはブッシュ大統領が、四二基中四一基のミサイルを「迎撃」したと発言した。

戦争が終わると、愛国的なプロパガンダの役割はそれほどはっきりしなくなった。戦争終了から二週間たった一九九一年三月一三日、アメリカ陸軍の武官たちは議会に、四七基のスカッドのうち四五基がパトリオットによって迎撃されたと述べた。戦争終了二カ月後の一九九一年四月二五日には、ミサイルの供給元であるレイセオン社の副社長が、パトリオットはサウジアラビアで交戦したスカッドの九〇%を破壊し、イスラエルでは五〇%を破壊したと発言した。

もちろんレイセオン社のスポークス・パーソンなら誰にとっても、自社製品の有効性を強調することには明白な利益があった。良い評判が将来のそのミサイルの商いを活気づけてくれるだけでなく、戦場での迎撃ミサイルの有効性の証明は、新しい兵器体系全体の前途を広げてくれもする。いわゆる「悪の国家」でますます増強されていく核や化学あるいは生物兵器ミサイルに対する防衛という考え方に、信頼性を与えてくれるのである。

イスラエル軍は戦争中でさえ、パトリオットの威力に信頼を寄せてはいなかったように見えるのだが、その成功に対するアメリカ国民の信頼を最初に揺るがしたのは、マサチューセッツ工科大学の防衛・兵器コントロール研究プログラムの教授セオドア・ポストルだった。「湾岸戦争におけるパトリオットの経験からの教訓」と題され、一九九一年の暮れに出版された五〇ページに及ぶ論文のなかでポストルは、イスラエルの資料を一部引用しながら、パトリオットは「ほとんど全面的な失敗とでもいうべきものに終わった」と主張した（p.24）。本章でわれわれが述べることの多くは、ポストルのこの批判から生まれたものである。

ポストルの主張がきっかけとなって、「湾岸戦争におけるパトリオット・ミサイルの実績」という一九九二年四月の議会委員会の前に、公聴会が開かれることになった。この会では、パトリオットの作戦遂行とそれを巡る論争に関する機密事項でない情報について、かなりの資料が提出された。専門家たちによって議会公聴会以前に提出されていた多くの証拠は、アメリカ陸軍がパトリオットの成功の証明に失敗したというポストルの主張は支持していたものの、彼の方法や、陸軍の失敗を彼が証明できたとする主張には同意するものではなかった。ポストルは、パトリオットの爆発がスカッドの弾頭のすぐ近くで起こらなかったためにスカッドを不能化できなかったことを示すために、通常に入手可能なビデオテープを用いていた。他の専門家は、市販のビデオテープのコマ割速度は爆発の瞬間を記録するにはあまりに遅く、一コマの間にパトリオットはずっと遠くへ飛んでいってしまっただろうと主張した。この手厳しい不同意とその派生効果は、本書執筆時（一九九七年）まで残ったが、興味深いのは、この対立によって、パトリオットの成功を高く評価する証拠には信頼性が欠けているということに関する不同意はもたらされなかったことである。「議会調査局外交・国防部局の国防の専門家」であるスティーヴン・ヒルドレスは、ポストルの方法に対して最も強固な表現で異を唱えている。議会公聴会において彼はこう述べた。「彼の主張は無益であると思う。そう私は言える」。それにもかかわらずヒルドレスは、アメリカ陸軍の方法を用いても、一基のスカッドしか、パトリオットによって「撃墜された」と確信を持っては言えないと述べている。これは、一基の弾頭が破壊されたと言っているのではなく、他の成功については何ら強力な証拠が本当にないのだと言っているのである。

ポストルと議会公聴会は、一九九二年の夏、レイセオン社の先端防空プログラム部長のロバート・M・シュタインによる二五ページの反撃を受け、その後ポストルからの回答があった。シュタインは、アメリカ陸軍の防空プログラム執行官であるロバート・ドロレット准将の「サウジアラビアでは、パトリオットは、射程内で八〇％以上のTBM（戦術弾道ミサイル）に対して好結果の攻撃を行い、（および）イスラエルでは……パトリオットは射程内で五〇％のＴＢＭに対して好成績を収めた」という初期のコメントを繰り返した。

パトリオットについて誰もが同意できること

パトリオットとスカッドの対決には、誰もが同意できるいくつかの特徴がある。元々パトリオットは、ミサイルではなく航空機を撃墜するために設計されたものである。湾岸戦争に転用するために変更が必要になり、改良ミサイルの設計、開発、製造、配備が大胆なスピードで遂行された。ミサイルのソフトウェアに誤りが一つあった。これが原因で発射タイミングの誤作動が生じ、スカッドがダーランの兵営に降りかかったとき、パトリオットが一基も発射されず、二〇〇人以上の死傷者を出した。しかしながら、この事故によって、パトリオットを湾岸戦争で使えるようにした工学上の大偉業が損なわれることはなかったし、このソフトウェアの問題も、他のスカッドとの交戦では解決されていた。

湾岸戦争中にイラクが使用したスカッド・ミサイルの型は、射程範囲を広げるために全長を伸ばしたものだった。弾頭が軽くされ、おそらく他のスカッドから取られた燃料タンクがつけ加えられたようだった。このように改良された結果、射程距離は六四〇キロメートルとなり、パトリオットの開発者が予想していたものよりは四〇％も速く飛んだのである。

アル・フセインのロケットエンジンは、一分半噴射し、およそ五五キロメートル上空までロケットを上昇させ、その間にロケットはプログラム済みの軌道に沿って誘導される。この後、すべての誘導が止まる。そしてアル・フセインは五分間慣性飛行して、大気圏に再突入する前におよそ一六〇キロメートルの最大高度に達し、約一分後に地面に着弾する。大気によって減速される前に、ロケットは時速八八五〇キロメートルの最高速度に達する。パトリオットの迎撃が一般に行われる高さ、つまり一六キロメートル付近の上空では、アル・フセインは時速約七一〇〇キロメートルで飛行しており、着弾までは一〇秒もかから

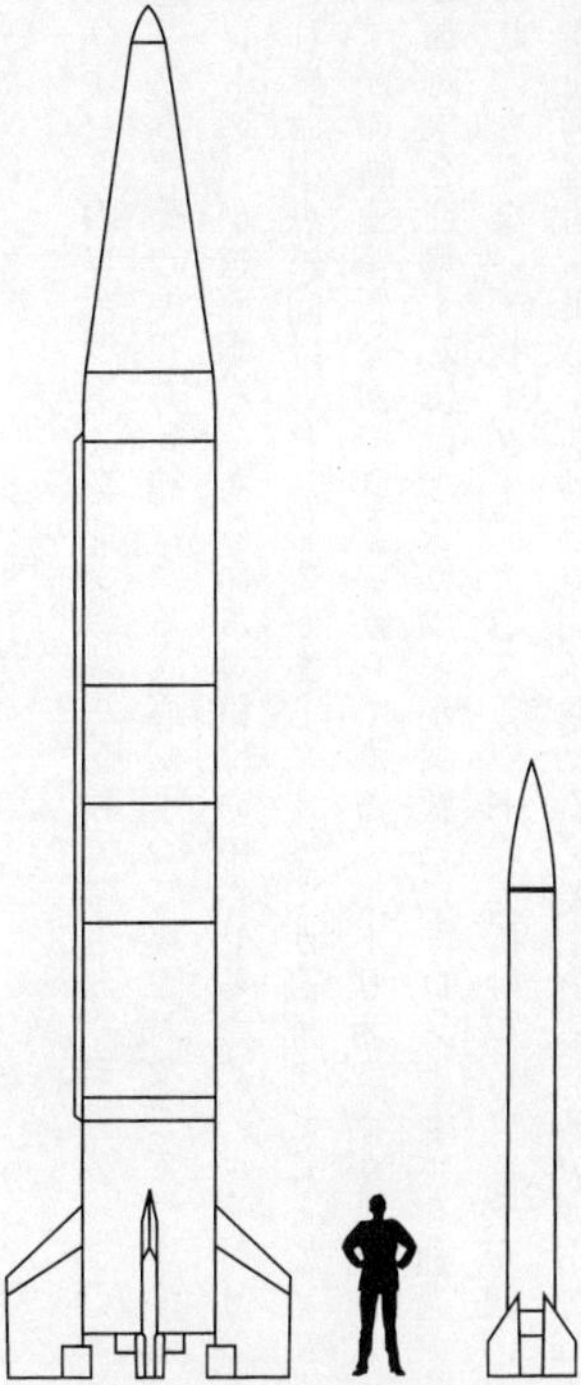

図1　スカッド（左）とパトリオット（右）
縮尺は非常に大まかなものである。

ない。

パトリオットのロケットエンジンは約一二秒間噴射し、時速六一〇〇キロメートル強まで加速される。その後、方向舵による誘導によって攻撃対象まで滑空する。攻撃対象には、地上のレーダーが誘導する。あらゆる対象に命中させるため、パトリオットは発射前に、想定された命中点に向けられる必要がある。すべてが高速で起こるために、飛行中には比較的わずかの軌道修正しかできないからである。パトリオットが上空一六キロメートル前後で攻撃対象を迎撃するには、スカッドが高度三二キロメートルを通過するときに発射されなければならない。レーダーによるスカッドの捕捉は、スカッドが四〇キロメートル付近の上空を通過するより、数秒早く開始される必要がある。スカッドの降下軌道と想定命中点がはじき出された後で、パトリオットは初めて発射される。

想定された破壊点でのスカッドとパトリオットの接近速度は、時速約一万三〇〇〇キロメートルあるいは秒速三七〇〇メートルになる。

言うまでもなく、すべての迎撃操作はコンピュータによって制御されている。手動発射は可能であるにしても、その際、とても重要になるのは、人間が介入することなく自動的にパトリオットを発射するために、いつも設定されているパラメータである。

パトリオットは、その弾頭を攻撃対象の弾頭のすぐ近くで爆発させることによってミサイルを破壊する。パトリオットの弾頭には鉛の発射体が装着されており、これがスカッドの重要な部分に貫入するのである。弾頭の爆発によって鉛の塊がおよそ時速九〇〇〇キロメートルまで加速される。ここで知っておいてほしいのは、パトリオットの弾頭の爆発による生成物は、二つのミサイルの相対速度よりもゆっくり飛ぶことである。この事実を知ることによって、事象が起こるスピードについての感覚を持てるようになるだけでなく、パトリオットの弾頭が爆発しなければならないタイミングや、場所に関するミスが許される余裕はほとんどないことも判るのである。もしも、そのタイミングより遅れて爆発し、スカッドがそのまま通り過ぎていってしまったならば、爆発による生成物が、離れていったミサイルに追いつく可能性はまったくなくなってしまう。たとえパトリオットが攻撃対象のすぐ側を通過した場合でも、爆発が有効なものになるための時間幅は極めて狭い。一〇〇〇分の一秒でもずれれば、パトリオットに対するスカッドの相対位置は約三・七メートルも違ってしまう。その場合、スカッドの弾頭内の爆薬に貫入したり機械部分を融解させる代わりに、鉛の投射体は完全に的を外すか、空の燃料タンクに当たったり、ミサイルをばらばらに刻んだりするだけで、肝心な弾頭の起爆装置はそのまま残されてしまうのである。

接近してくるミサイルを発見して追跡し、その軌道を数秒で計算し、推定到着点に向けてロケットを発射し、最後の瞬間での微調整の余地を残しつつも迎撃ミサイルを到着点に向けて誘導し、接近するミサイルに達したときに弾頭を爆発させるという一連の作業を、すべて時速一万三〇〇〇キロメートルの接近速度において行うような迎撃システムを設計することは、驚くべき偉業である。パトリオットが元来は別の目的のために設計されたことを考えれば、なおさら驚きは大きい。けれども、もしもその弾頭が正しい時間と正しい場所で正確に爆発しなければ、この偉業のすべては無駄に終わる。地上から見て完全な迎撃と思えたものも、実は、接近するロケットの何ら重要でない部分を損傷させただけだったかもしれないのである。

3章で私たちは、実験やテストから「デモ（実演証明）」を区別している。戦争は、混乱、そして作戦を実行する兵士が置かれた極度の緊張と恐怖のために、デモには役立たないのである。戦争では、ほとんどの時間において、ほとんどの事柄が思わぬ方向に進んでしまう。この原則をイラク式スカッド・ミサイルは完璧なまでに実演証明した。アル・フセインは全長が伸ばされ、弾頭が軽くされていたために、スカッドの航空力学的・機械的な特徴が変わっていた。その変更による意図せぬ産物は、アル・フセインが、宇宙空間をより長く慣性飛行した後、さまざまな角度で大気圏に再突入し、いろいろな要因によって多かれ少なかれ揺れ動くことだった。このため、アル・フセインには大気中を降下する間に分解してしまう傾向があり、その分解は、突入方向と揺れ動きに応じてさまざまな高度で起こり得た。不均等な大きさの分解部分は、その後、らせんを描いて落下したり、それらの形や、表面をかすめる空気の流れの影響如何によって、もっと不規則な軌道を描いて落下する。イラクは偶然にも、迎撃回避の操作と同等のことができる、おとり弾頭を備えたミサイルを造ってしまったのである。

スカッドが飛行の初期段階で分解した場合には、レーダーは、一つではなく二つないし三つの対象が大気圏に突入してくるのを「見る」ことになる。すると、パトリオット・システムは自動的にこれら全部に目掛けてロケットを発射し、パトリオットの備蓄は驚くほどの勢いで早々に目減りしてしまうだろう。また、スカッドが飛行の後期段階で分解した場合には、一つの攻撃対象に向けて発射された一基ないし二基のパトリオットは、飛行中に、一つではなく複数の対象に突然出くわすことになる。

このようにパトリオットは、元々は航空機の攻撃のために設計されたにもかかわらず、ミサイルを破壊せねばならなかっただけでなく、まるで入念な設計チームによって迎撃を回避するよう設計されているかのように振る舞うミサイルを破壊しなくてはならなかったのである。

二つの教訓が、イラクのスカッドの想定外の「設計の特長」に直面したパトリオットの実績から引き出せるだろう。パトリオットは、攻撃対象の予想外の振る舞いに対処しなければならなかったのだから、期待以上の実績を上げたと言うこともできるかもしれない。他方では、ミサイル迎撃による防衛システムは常に最新の戦争を闘い続けるのであり、予期できない回避策が常に防衛力の傘を打ち負かすのだ、と結論できるかもしれない。スカッドは、このような事態が、洗練されていない軍事力によってミサイルが建造され発射された場合であっても起こることを示した。以上の事柄は、洗練された攻撃力とは何かについて、少し立ち止まって考える余地を与えてくれる。

この戦争の後期には、密度が高く重い弾頭は、大気による減速の割合が小さいために、「おとり」から識別できることが明らかになった。しかし、両者の違いがはっきりするまで十分に発射を待たねばならなかったため、スカッドが比較的低い高度まで降下するまでパトリオットを発射できなかった。イスラエルの部隊は、切り離された燃料タンクや他の破片から弾頭を識別する方法が判ったことで、自動発射モードを手動モードに切り換え、戦闘の初期にパトリオットの備蓄数が底をつかないようにした。

成功の規準

パトリオットの成功を巡る論争は、絡み合った二つの問題を明るみに出した。何をもって成功とすべきかという問題と、成功についての可能な一つ一つの定義のもとで、パトリオットは成功したと言えるかどうかという問題である。

レイセオン社を代表するロバート・シュタインは、一九九二年夏にコメントを発表し、成功として数えられるべきいくつかの例を示した。ただし彼は、迎撃にも爆発にも言及していない。

パトリオットの非常に信頼できる実績と成功は、起こったがままの事象によって測ることができる。同盟は揺るがなかった。イスラエルはイラクに対する攻撃行動を開始する必要はなかったし、また戦争から離れていることもできた。広範囲にわたる非戦闘員の生命の損失はもたらされなかった。……そして最終的に和平を求めたのはサダムであって、多国籍軍側ではなかった。

われわれは、成功についての可能な規準について、言わば裏返しに考えることができる。つまりわれわれは、パトリオットとスカッドが戦闘に取り入れられた瞬間から考察を始めて、それほど直接的でない帰結に向かうのである。表1のリストは、パトリオットの配備によって生じ得るいくつかの帰結を示したものである。

このリストで「不発化」は、パトリオットの効果があった結果、スカッドの弾頭が地面に着弾したときに爆発できなかったことを意味している。「損傷した」は、弾頭は爆発したが、その威力は弱められたこと（爆薬の形が歪んでしまったり離脱してしまったりした場合に起こる）を意味している。また「軌道が変更された」が意味しているのは、死者と破壊がもたらされるかもしれない場所に向かって進んでいた弾頭が、無人地帯に軌道を逸

表1　パトリオットとスカッドの成功規準

	直接的な成功規準
1	全部ないしほぼ全部のスカッドが不発化された。
2	ほとんどのスカッドが不発化された。
3	いくつかのスカッドが不発化された。
4	全部ないしほぼ全部のスカッドが損傷した。
5	ほとんどのスカッドが損傷した。
6	いくつかのスカッドが損傷した。
7	全部ないしほぼ全部のスカッドの軌道が変更された。
8	ほとんどのスカッドの軌道が変更された。
9	いくつかのスカッドの軌道が変更された。
10	全部ないしほぼ全部のスカッドが迎撃された。
11	ほとんどのスカッドが迎撃された。
12	いくつかのスカッドが迎撃された。
13	多国籍軍側の人命が救われ、財産の被害も軽減された。
14	イスラエルの人命が救われ、財産の被害も軽減された。
	間接的な成功規準
15	非戦闘員の士気が高揚された。
16	イスラエルを戦闘から引き離し続けた。
17	「同盟は揺るがなかった」。
18	「和平を求めたのはサダムであり、多国籍軍側ではなかった」。
19	パトリオットの売り上げが増えた。
20	新しい戦術迎撃ミサイル計画が信頼を得た。
21	戦略防衛構想「スターウォーズ」が復活した。

らされた場合である。そして「迎撃された」は、レーダーによる追跡とパトリオットの飛行制御が期待通りであり、パトリオットがスカッドに接近して弾頭は炸裂したが、スカッドの弾頭が損傷したかどうかまでは不明である場合を意味している。

「間接的な成功規準」と呼ばれている下の七つの規準と、「直接的な成功規準」と呼ばれている上の規準との間に、直接的な因果関係はない。たとえパトリオットが直接的な成功規準を満たさなかった場合にも、その成功についての物語を吹聴し、広く人々に受け入れさせれば、単にそれを配備するだけで15から21までの帰結をもたらすことができる。たとえ、ただの一基のスカッドも迎撃されたり損傷したりしなかったとしても、戦時中もその後の平和時も、パトリオットは大成功（アメリカの軍事産業にとっての成功）を収めたと言われてもよかっただろう。決定的に重要なのは、人々が成功を信じていたこと、そして今も信じていることなのだ。長きにわたってスターウォーズ計画の浪費に反対してきたテッド・ポストルは、パトリオットが偽りの名声のようなものを得て、その結果、失敗する運命にある迎撃ミサイル技術へのさらなる出費が正当化されることを防ごうとしている。つまりポストルは、帰結1、2、4、5、7、8が実際には起こらなかったのだと考えており、帰結20と21が生じるのを避けようとしているのである。

表1のようなリストのもう一つの特徴は、ある規準のもとでの成功は、他の規準のもとでの成功としても簡単に読めるように定義できるということだ。たとえば、当初なされた

四つの主張のうち二つ、つまりブッシュ大統領の「四二基中四一基」という発言とアメリカ陸軍の「四七基中四五基」という発言は、破壊ではなく「迎撃」について述べている。この言葉の使い方が、さほど重要でない主張を行いながらも、ある印象を与えるように慎重に洗練されたものなのかどうかは不明だ。一九九二年の議会公聴会でコンヤーズ上院議員は、この件についてロバート・ドロレットアメリカ陸軍准将に反対尋問を行った。証言自身がその如何を語ってくれる。

コンヤーズ：では、彼（ブッシュ大統領）は間違っていたのでしょうか。
ドロレット：いいえ。
コンヤーズ：では、四二基中四一基のスカッドが迎撃されたと発言したとき、彼は正しかったのですね。
ドロレット：そうです。
コンヤーズ：あなたはこの主張を後押しするような記録を持っていますか。
ドロレット：迎撃された、ですか。
コンヤーズ：はい。
ドロレット：ええ。彼は、撃墜された、または破壊されたとは言っていません。迎撃されたと言ったのです。その意味は、一基のスカッドがやってきて、パトリオットが一基発射されたということです。しかし、それがすべてのスカッドが撃墜されたことを意味しているとは、彼もわれわれも言いませんでした、これまで一度たりとも言ったことはありません。

コンヤーズ：撃墜されたとは、彼は言っていないのですね。迎撃されたと、軍人用語で述べたわけですね。

ドロレット：……彼はただ、パトリオットとスカッドの航跡が、これは空中の航跡ですが、交差したと言っているのです。それらは交戦したのです。

コンヤーズ：それらは空中で互いの航跡を通過した、と。

ドロレット：そうです。

間接的な成功規準

○商売、戦術迎撃ミサイル、スターウォーズ

19から21までの規準について、われわれが解説を加えるべきことはほとんどない。興味深いのは、ロバート・シュタインだけでなく多くの論者が、しきりに最後の規準21を他から引き離そうとしていたことである。ポストルの見解に敵対していたある論者は、議会公聴会で次のように述べている。

……「パトリオットがそうであれば、すなわちＳＤＩ（戦略防衛構想）も」というように、パトリオットの成功を、核兵器を積んだ戦略弾道ミサイルに対する迎撃ミサイルについて、その予想される将来的成功にまで拡張して語るのが流行になってしまいました。

これは論理的に馬鹿げた主張です。……私が提案したい戦略防衛システムは、恐らく第二次ないし第三次核戦争が起こる頃には、はっきりと理解されるようになるでしょう。（戦略・国際研究のための軍縮・相互検証センター客員上席フェロー、ピーター・Ｄ・チンマーマンの陳述より。議会公聴会、pp.154-155）

論者たちがしきりに求めているのは、「戦術」弾道ミサイルに対する防衛力の開発にとってパトリオットが持つ積極的な教訓を、不信を買う「戦略」防衛構想、つまりもっと速度のある大陸間弾道弾を打ち落とすシステムの開発から引き離すことのようである。さらに、パトリオットやその同類が対弾道ミサイル迎撃システムの全面的な開発をもたらすことはないと主張するのは、そうした開発を禁止する国際条約があるためになおさら重要だ。ある一つを開発することは他のものを内密に開発する方法なのだ、とポストルは論じているが、ともかく、パトリオットのようなミサイルを開発したい者は、禁止プログラムから離脱せねばならないのである。このような論争の段階では、パトリオットがスカッドの破壊に成功したかどうかはほとんど重要でない。

規準19〜21から見てパトリオットが成功したかどうかは、歴史だけが教えてくれるだろう。しかしながら現在までの証拠によれば、規準20に関してはパトリオットの経験が否定的ではないことを示唆している。レイセオン社は、望んだより小さい規模でしか開発プログラムに参加していないものの、対戦術弾道ミサイル迎撃システムは確かに開発中なのである。

○パトリオットの局部的な政治的役割

15から18までの規準については、分析するのがさらに難しい。戦争の歴史というのは、あまりに難しいトピックである。なぜなら、戦場では生き残ることが第一で、記録保持の優先順位はずっと低いからだ。そんな状況のなかで出来事は起こるのに対し、歴史叙述には国家や軍隊、連隊、そして将軍たちの利害関心があまりに多く付与されるのである。

イスラエルを戦闘から引き離しておくため、という規準16について考えてみよう。『ワシントン・ポスト』紙の記者であるリック・アトキンソンは、彼の書いた湾岸戦争史『十字軍——語られざる湾岸戦争の物語』の中で、イスラエル軍はパトリオットが貧弱な成果しか上げていないと直に考えるようになり、シュワルツコフの楽観的な報道発表を「パトリオットの戯言（たわごと）」と表現するようになった、と述べている。しかしながら彼は、記者ならではの気ままな引用を使って、次のように述べている。

けれどもイスラエルですら、ミサイルを賛美することの政治的・軍事的有用性は認識していたのだ。イスラエルの役人が公式にパトリオットに対する懸念を表明しようとしたとき、ワシントンの大使館員アブラハム・ベン・ショーシャンは、こう言って発言を遮った。「黙りたまえ。それが唯一の兵器なんだから、とにかくスカッドに対する最善の兵器なのだ。どうしてサダム・フセインに、それはまともじゃないなどと言わなくてはならないのか」。

(Atkinson, 1994, p.278)

これとは対照的に、戦争当時のイギリス軍司令官ピーター・デ・ラ・ビリエール卿将軍は、彼の自伝的論考『困難を探し求めて』の中で、パトリオットには一言も触れていない。彼は、イスラエルに対するスカッドの脅威に終止符を打ったのは、一月二二日に西イラクに配備された英国特殊空挺部隊（ＳＡＳ）の地上警備隊であると主張している。

……（彼らが）任務をこのように有効に遂行してくれたおかげで、一月二六日以降、スカッドがイスラエル目掛けて発射されることはなくなった。同様にＳＡＳは、ヨーロッパで繰り返し次のことを証明してきた。すなわち、いかなる電子的監視装置も、地上

にいる二つの目ほど有効ではないということを、である。(de la Billiere, 1994, p.411)

私たちは、戦争の歴史を作り上げるさまざまな説明が競い合う地雷原に踏み入ろうとは思わない。ただ一つ記しておきたいのは、ある他の説明では、一月二八日から二月二五日までの間に一三基のスカッドがイスラエルに落ち、三四人の負傷者と、およそ一五〇〇軒のアパートと四〇〇軒の家屋に被害があったということである。

われわれが踏み込みたいと考えている規準15は、ほとんど確実にその条件が満たされている。味方側が反撃していることを非戦闘員たちは知りたい。その気持ちを後押しする必要がある。抵抗という行為そのものが、その抵抗がどれほど成功しているかとは無関係に人々を鼓舞するのだ。戦争も後期になると、人々は屋根に上がってパトリオット対スカッドの戦いを見物していたようである。この方が避難壕で身を縮めているよりも、士気にとって良いに違いない。

○死者と破壊

今度は規準13と14を見てみよう。果たしてパトリオットは、人命を救い、財産の損害を避けることができたのだろうか。仮にパトリオットが配備されなかった場合に、どのような被害が生じ、何人の生命が失われたのかが判らないため、サウジアラビアに関しては直接的な証拠がない。われわれに判っているのは、スカッドが密集した兵営に命中したとき、大勢の軍人と女性が死んだということ、その時点ではパトリオットは配備されていなかったということであるが、重要なのは、配備していれば結果は違っていただろうと確信するのは不可能だということだ。したがって、パトリオットが正常に作動しなかったとき最大数の死者が生じたという事実をもって、パトリオットを用いることが有効であったと判断することはできない。議論を進めながら、このことをよりはっきりと示したい。

「以前と以後」の比較ができるので、イスラエルのケースはより興味深い。スカッドは一月一七日からイスラエルを襲い始めたが、パトリオットは一月二〇日近くになるまで配備されなかった。沢山のミサイルが狙っていたはずの街々を爆撃し損ねていたが、ポストルによれば、パトリオットが配備される前には、一三基のスカッドが迎撃されることなくテルアビブとハイファに降り注ぎ、二六九八軒のアパートが損壊し、一一五人の負傷者が出たという。そしてパトリオットが使われ始めると、一七基のスカッドに対して一四基が二つの街の上空で交戦し、七七七八軒のアパートの損壊と、一六八人の負傷者、一名の死者を出したという。数字のうえでは、パトリオットによる防衛が行われている期間には、それ以前と比べると、ほぼ同数のスカッドによって三倍もの被害がもたらされた。しかしながら彼は、各々の建造物の損壊の程度が詳しく調べられていないため、これらのやや貧弱な統計に頼るのは難しいことを認めている。それにもかかわらず彼は、パトリオットを使用した時期には被害が減少したと示唆するいかなる証拠もないと結論づけている。確かに負傷者の数は増えており、その一部はパトリオット自体によってもたらされたものかもしれない。パトリオットが配備されたために、より多くのミサイルやその破片が空中を飛び交うことになり、急速に再降下したり、最悪の場合にはそのまま落下してきて、地面に接触して爆発したとも考えられる。建物に反射されたレーダー信号によって混乱してしまったパトリオットや、スカッドの破片を地面まで追跡してしまったものがあったという証拠もある。

写真1　イスラエルのハイファ上空でのパトリオット迎撃ミサイルの航跡
一基が地面に急降下している。

ポストルに対する回答のなかでシュタインは、実際にパトリオット配備後には、はるかに多くのミサイルがイスラエルに向けて発射されており、またアパートが被った損壊は表面的なものであるため、「〝割れた窓ガラス〟の範疇に入るもの以外の損壊をパトリオットが軽減した明らかな証拠」があると述べている。さらに彼は、イスラエルでの比較的少ない人命の損失や最小限の損壊と、イラン・イラク戦争で戦術弾道ミサイルによって生じた深刻な被害や人命の損失とを比較している。さらにまた彼は、イスラエルでの出来事と「戦術弾道ミサイルに対して何ら防衛しなかった際のダーランの兵営で失われた人命」とを比較している(Stein, 1992, p.222)[1]。

直接的な成功規準

○迎撃と軌道変更

「迎撃」という言葉は破壊や損傷、軌道の変更については何も語っていない。そのため、パトリオットが交戦したスカッドを「迎撃した」かどうかについては、白熱した論争はほとんどない。迎撃の意味を、その爆発によってスカッドの弾道を不能化もしくは損傷させるような一点をパトリオットが通過したか、あるいは可能性として通過したことだと定義してみよう。

発射されたすべてのパトリオットがスカッドを迎撃したわけではないことは、確実に言える。とくに戦争の初期には、燃料タンクや他の破片部分を迎撃したものがあったし、建物や地面を攻撃したものもあったようだ。しかし、このようなことは戦時の状況では普通のことである。

ダーランの場合は別として、次のように仮定しないでおく理由は何もない。すなわち、すべての、あるいはほとんどすべての場合に、スカッドの航跡が人口集中地帯に向かっているように見え、かつパトリオットに「応戦された」、つまり「一基のパトリオットと一基のスカッドが空中で互いの航跡を通過した」とドロレット准将が言った意味で、一基ないしそれ以上のパトリオットがスカッドを迎撃したことである。この意味での迎撃は、レーダーによる追跡から確認することができるので、パトリオットが爆発した後にスカッドがどうなったかを知る必要はない。迎撃のこのような信頼性はかなりの工学的偉業であり、スカッドが損傷されたかどうかには関係なく、将来の戦術ミサイル迎撃システムの成功への希望を鼓舞するのに十分である。もちろんこれは始まりに過ぎない。パトリオットが攻撃対象に重大な損傷を与えることができたかという、ポストルと他の人々が熱く論争していることについての証明が残されている。

軌道の変更については、アル・フセインは非常に不正確な兵器であり、迎撃されなかったとしても、目標から二、三キロメートルの範囲に着弾することも期待できないほどであった。軌道が目標に向いているロケットでさえ、分解によって生じる不規則な航空力学的力が働くために、着弾点は予測不可能なのである。もっともアメリカ陸軍によれば、たいていのスカッドは、予測した爆発点から二、三キロメートル以内のところに着弾したという。

このようなわけで、もし迎撃されていれば軌道を変えられていたと主張することは可能であるにしても、ダーランの兵営に多大な被害を与えたロケットが「目標に命中した」と言うことはできないのである。他方、パトリオットが、相手の弾頭の軌道を人がいる建物の方向に変えなかったということは、単に運がよかっただけかもしれない。制御能力の水準を考えれば、「軌道の変更」はせいぜい危なっかしい企てでしかなかっただろう。いずれにしても、通常火薬の軌道変更は、化学・生物・核弾頭の場合とは非常に異なったことなのである。化学兵器や生物兵器の弾頭は風向きが影響するだろうし、核弾頭の場合にはもしも軌道変更の度合いが変えられるのならば、そのときは通常のミサイルよりもはるかに大きく軌道が変えられなければならない。

○不発化と損傷

これまで述べてきたように、パトリオットが、それを用いなければ人口密集都市で起こったであろう五〇〇キログラム火薬の爆発数を減らせたのかどうかは判らないということは、一見しただけでは驚くべきことだろう。パトリオットの弾頭の爆発位置に許された誤差の余裕が小さいために、たとえスカッドの弾頭を損傷させたとしても、その迎撃を直接観測しただけでは、この問いに答えることはできない。そこでわれわれは、実際のスカッドの爆発と地上の被害についての観測によって、何が生じたのかを理解しなければならない。

爆発と地上の被害についての観測は、二重の意味で当惑させられるものだ。一方では、たとえスカッドの弾頭がすべて不発化されたとしても、それが直ちに、いかなる被害もなかったことを意味するわけではない。ミサイルの破片が地面に当たり、かなりの被害を生じることは、破片が十分に爆発しなかったとしてもあり得ることだ。たとえば、時速四八〇〇キロメートル以上の速度で飛行する重たい弾道が地面にぶつかれば、爆発と同じくらいの威力を与える。衝突のエネルギーによって、爆発のように見える閃光すら生じ得る。ロケット推進剤が残った燃料タンクがぶつかれば、実際に爆発が起きる。

また、建物をスカッドと見誤ったり、スカッドあるいはその破片を地上まで追跡したために、パトリオットの弾頭が地上付近で爆発したこともあったようだ。ポストルが参考にしたビデオテープのなかには、地上でのパトリオットの爆発を示す証拠も含まれている。ここでわれわれは興味深い疑問を投げ掛けることができる。地上での爆発はパトリオットの成功と見なされるのか、その反対か。答えは、成功規準の選び方に依存している。13、14、15のような規準、つまり人命や財産の損失の軽減や非戦闘員の士気の高揚などを念頭に置けば、本来守るべき国にパトリオットが被害を与えたことは実に悪いニュースだろう。他方、会計士の考え方にならい、スカッドに対するパトリオットの実際の効果と、より良い兵器体系の開発にとってのパトリオットの意義に関する1〜9、19、20のような規準だけを見るならば、パトリオットによってもたらされたと示すことのできる地上の被害が大きく、スカッドによって引き起こされたかもしれない地上の被害が小さいほど、より効果的にパトリオットがスカッドに損傷を与えたということになるだろう。ここまで来ると、議論はもうフラフラになる。

別の方向に議論を進めてみよう。スカッドは着弾したが、その衝撃エネルギーや爆発性燃料から予想されるほどの被害はもたらさなかったケースを、実際にはスカッドは爆発しなかったにもかかわらず、パトリオットの成功として勘定した可能性もある。スカッドの弾頭が不発弾だったかもしれないのだ！　少なくとも着弾した一基の「弾頭」は、コンクリートの塊以外の何も積んでいなかった。戦争の終わりが近づくにつれ、イラクでは、完全に作動する弾頭を装備したミサイルが不足しつつあったようなのだ。いずれにせよ、そもそも完全に作動するミサイルが、どれだけ有効に発射されたかが不明なのである。空域は多国籍軍の支配下にあったため、イランとの戦争のときのように、イラクはミサイル発射拠点を固定しておくことができなかった。移動式発射装置を秘密裏に暗闇のなかで使わざるを得なかったのである。これでは、どれだけの弾頭が正しく準備されていたのかを私たちは知ることができない。

規準1から6の下でのパトリオットの有効性を理解するには、市街地だけでなく郊外での地上被害を調べることが必要である。しかし地上被害調査は、戦後しばらくまで行われなかったようである。調査は、「一人の技術者が、サウジアラビアで一九九一年二月に五日間、一九九一年三月に十九日間行った。……調査はもっぱら、写真とパトリオット部隊配属の軍人へのインタヴューに基づいており、……現場訪問はいつも被弾から数日ないし数週間後に行われ、そのときにはすでに爆発によるクレーターは埋められ、ミサイルの破片は片づけられていた」（議会公聴会、『米国会計検査院報告書』、p.78）。パトリオットの有効性に関して陸軍が提出した最初の報告書も価値を落とした。サウジアラビアでの交戦の三分の一しか情報が含まれていなかったにもかかわらず、計画局長による評価では、すべての交戦についての記録として引用されたからだ。そのうえこの報告書では、いくつかの部隊は被害箇所を特定しようとすらしなかったのに、弾頭が地上で見つからなければ、パトリオットがスカッドの弾頭を破壊したのだという前提が用いられていた（同報告書、p.86）。

ここまで来ると、なぜ議会公聴会までに、パトリオットの成功に関する確固とした評価が急激に低下していったのかを理解できるだろう。成功したかどうかに関する信頼性が低い交戦も含むものの、陸軍は成功率六〇％まで主張を弱めた。さらに陸軍は成功率二五％と主張を変えたが、そのなかには、パトリオットがスカッドに接近したものの、スカッドを破壊ないし損傷させた強い証拠のないケースも一六％含まれていた。米国会計検査院の代表は次のように述べている。

……どれだけの標的をパトリオットが撃墜したのか、あるいはしなかったのかを、確固として決定する方法は何もない。

砂漠の嵐作戦でのパトリオットによる交戦のうち約九%は、弾頭が撃墜されたという最も強い証拠によって支持されている。観測に基づいた証拠によれば、それらの交戦では、スカッドの近くでパトリオットが爆発した後、スカッドが破壊ないし不能化されたことを示している。弾頭が撃墜されたという最も強い証拠とは、たとえば（一）パトリオットの破片がささった、あるいは破片によって誘導部分や信管部分に穴が開いた不能化されたスカッド、（二）パトリオットの爆発に引き続いてスカッドの破片が空中に飛び散ったことを示すレーダー観測のデータ、によって与えられるだろう。

（同報告書、p.108）

スティーヴン・ヒルドレスのことを思い出そう。彼は、陸軍自身の規準を用いても、確信できるのは、たった一基の弾頭が撃墜されたということしかないと考えていたのだった。

実験室に到達する

議会公聴会に証拠を提出した専門家たちは、戦場でどれほどパトリオットが成功したかを確認するには、実験室や試射場のような装備が必要だったことに同意している。高速写真撮影ならば、パトリオットの弾頭が爆発する正確な瞬間と、スカッドの弾頭との関係を明らかにできたかもしれないが、戦場で高速写真撮影をすることは選択の対象にはならない。「技術主任は、パトリオットと標的の両方の軌道が予め判っており、多重カメラを両者の軌道に沿って配置できるのでなければ、高速写真撮影は有効なデータ収集法にはなり得ない、と述べている。また、スカッドの発射地点と時刻が予め知られてはいなかったのだから、砂漠の嵐作戦でこのような装備は不可能だった、とも述べている」(同報告書、p.108)。

議会委員会の前に、「ハーヴァード大学ケネディ行政大学院、科学・国際関係センター所属の客員研究員、マイター・コーポレーションの元社長および首席役員」という肩書きを持つもう一人の専門家チャールズ・A・ツラケットは、次のように述べている。「湾岸戦争におけるパトリオット一基ごとの実績評価に伴う不確実性は、直接的で妥当な科学的データを提供できる高速・高解像度の写真装置と、デジタルデータ・レーダーによる迎撃記録が欠けていたことから生じている」。

送信機を各パトリオットに取りつけ、その動きに関するデータを連続的に地上に送るようにしておく選択肢もあった。これは「テレメトリー(遠隔測定法)」として知られている方法だ。もっとも、戦争の初期にはすでに、テレメトリー装置はパトリオットの機能を妨げると考えられるようになり、サウジアラビアに置かれたどのミサイルにも装備されなかった。イスラエルでは、少なくともいくつかのパトリオットにそのような装置をつけたようである。会計検査院によれば、テレメトリーのデータがあれば、スカッドを破壊する確率が高い範囲をパトリオットが通過し、迎撃点をスカッドが飛び去ってしまう前に爆発できたかどうかを明らかにできただろうという（同報告書、p.109）。もちろんこれは、パトリオットが実際にスカッドを破壊したかどうかを証明するものではないが、意図した時刻と場所で爆発が起きたかどうかを巡る、ある種の曖昧さは拭い去ってくれるだろう。

専門家が提出した証拠のうちには、乱雑な戦時報告の代わりに「科学」を求める熱望が見られる。「直接的で妥当な科学的データ」があれば、このまとまりのない論争を終わらせることができるだろう、という熱望だ。

パトリオットの実績とモニター装置の実績との間には、見事な並行関係がある。現時点の情報を十分に知っていれば、恐らく、より多くのアル・フセインを迎撃し破壊できるだろう。十分な数のパトリオットが、十分に訓練された兵士とともに、戦争が始まるじゅうぶん前に、最適な場所に配備されるだろう。兵士たちは、接近速度や典型的な軌道、ミサイル弾頭や思いがけないおとり弾頭の飛行パターンについてすでに理解しており、これに従って新しいソフトウェアも設計されている。それぞれわずかに異なる起爆パラメータを設定された多数のパトリオットが、それぞれの標的弾頭目掛けて飛んでいくのが想像できるだろう。発射のタイミングに関するソフトウェアの欠陥は修正されており、ダーランに投下されたスカッドと同等のミサイルも迎撃され、恐らく破壊されるだろう。このシナリオでは、パトリオットは次々と鮮やかな撃墜を繰り返す。もしも過去の戦争をもう一度闘えるなら、われわれはいつも実によく闘えることだろう。しかし、そうは言っても、大規模軍事演習を行い、その範囲内でデモを行ったように闘えるわけではないだろう。

同様に、現時点での情報を十分に知ることによって、専門家たちは、鮮やかな「科学的な撃墜」に必要な事柄、つまりパトリオットとその攻撃目標との遭遇の様子についての正確で曖昧さのない説明を理解できるだろう。軍人たちが、いかなる情報や供給物資の不足もなく、敵が常に期待通りに動いてくれるような戦争を闘うのを夢見るように、専門家たちは、信号は信号であり、ノイズは統計学の教科書通りのモデルに従うような科学的測定を夢見る。戦略家たちが軍事演習を夢見るように、専門家たちは科学の神話的なモデルを夢見るのである。

けれども、軍事演習やデモですら計画通りにいくことは稀である。失敗することが何もない軍事演習から学ぶことはわずかしかないし、3章で見るように、デモも失敗する。それらがうまくいったときでさえ、どんな含蓄がそれから引き出せるのかは明らかでない。実験室の条件に限りなく近づくことができるときでさえ、測定のプロセスは思い描いた通りにはならない。これが、著者たちの前著、ゴーレム・シリーズの第一巻の要点だった。

重要なのは、パトリオットについての理解が戦争という霧に包まれていたと示すことではなく、この霧はまさに、ゴーレムとしての科学が懸命に見通さなければならない濃い霧なのだと理解することである。たとえいつか、鮮やかな撃墜が可能なミサイルを発射できるくらい、遠くまで視界が澄み渡ったとしても、そのようなことは現実の軍事情勢と同様、喩えに言われる第三次「核戦争」の後になるまで起こりそうもない。そして、そうなってしまっては、われわれの目的にとっては遅過ぎるのである。

注

（1）パトリオットの実績に対するシュタインの擁護論の大部分は、機密情報を詳しくではないが参照した当局の主張に基づいている。また彼は、湾岸戦争での改造スカッドの使用が警告するのは、攻撃行動による脅しが、敵に弾道ミサイルを放つのを独裁者に思い止まらせられなくなるだろうということであり、このような脅威に対する防衛システムの発達が重要である、というメッセージを力説している。彼の返答のなかのこのようなメッセージは、表1の後半にあるより一般的な成功規準によるならば、詳細なパトリオットについての実績の分析を上回る重要性を持っている。

2章　裸にされた打ち上げ　チャレンジャー号爆発の責任を帰すこと

あの重大な事件について、いつどこで初めて聞いたのかを著者たちは覚えている。四五歳過ぎの私たちは、ジョン・F・ケネディが暗殺されたと聞いたとき、何をしていたのかを覚えている。同じように、テレビを見ていた人なら誰でも、スペース・シャトル「チャレンジャー号」が爆発した一九八六年一月二八日、アメリカ東部標準時間午前一一時三八分に何をしていたかを覚えているだろう。推進固体ロケットブースターが作り出した、渦巻く輪が連なった白煙のうねりが、七人の乗組員の死と、宇宙計画における「できる」の不可謬性の終焉を告げていた。

ケネディの死について議論の余地の残る調査をしたウォーレン委員会とは違って、ウィリアム・ロジャーズが委員長を務めた大統領委員会は、すぐに責任の所在を確定した。その報告書に曖昧な点は一つもない。事故の原因は、O(オー)リングという合成ゴム製の円環状の密閉器具にあった。チャレンジャー号の固体ロケットブースターはいくつかの部分から成っており、Oリングはそれらの間の隙間をふさぐためのものだった。ところが一カ所の密閉がうまくいかず、漏れ出した燃焼ガスが、支柱を伝わって発炎灯のように燃え、大惨事に至る一連の出来事を開始させたのだ。

委員会はまた、ケープ・カナベラルの前例のない寒さのなかでシャトルが打ち上げられたことを明らかにしている。低温がゴムに与える効果を証明したのは、才気にあふれ、飾り気のないアメリカ人物理学者リチャード・ファインマンだと一般に思われている。記者会見で彼は、ゴム製のOリングとグラス一杯の氷水を使って、低温がゴムに与える効果を示してみせた。ゴムは弾性を失った。まさか、ゴムに関するこの明白な事実を、米国航空宇宙局（NASA）は知らなかったのだろうか。冷たく硬くなったゴムが、密閉器具としてうまく機能しなくなるということに、彼らは気づいていなかったのだろうか。もっと悪いことに、固体ロケットブースターの製造会社であるモートン・サイオコール社から来たエンジニアたちが、その点を警告していたことが判明した。打ち上げ前夜に急遽行われた深夜のテレビ会議で、彼らは、当日朝のフロリダの厳しい寒さのなかでは、Oリングがうまく機能しないことを主張していた。エンジニアたちの警告は、彼ら自身の上司によって却下されていたことが判明したのである。一方、上司の方は、NASAの経営陣から打ち上げスケジュールを守るよう脅かされていると感じていた。

一九八六年は、シャトルの成果を求めるプレッシャーが巨大だった。安価で、効率良く、再使用可能だとされていたこの宇宙船には、一五回に及ぶ飛行が予定されていた。積み荷

写真2　チャレンジャー号の爆発

のなかには、ハッブル宇宙望遠鏡を含む重要な科学実験装置があった。チャレンジャー号以前の打ち上げは、NASA史上最も遅れており、三回の予定が突如遅れ、四回の発射が中止に追い込まれていた。不運に見舞われるチャレンジャー号でも、すでに四回も打ち上げが延期されていた。さらに宇宙計画全体が、八〇年代のNASAの財政上の制約に見合う、より良い成果を上げることを必要とされていた。アポロ月着陸の栄光の時代には、適切な予算に見合った「適切な資質（ライトスタッフ）」がいたが、今はもういないのである。

　型通りの見方はこうだ。NASAの経営陣は成果を求めるプレッシャーに屈服し、スケジュールを守るために、危険だと判っている打ち上げを続行した。チャレンジャー号の事故は、たいてい道徳的教訓として取り上げられる。私たちは、悪の陳腐さ、つまりどのようにして高貴なる熱望が、配慮のない官僚たちによって切り崩され得るのか、を学ぶのである。節約と手抜きが重なり、結果として、向こう見ずな経営陣や無配慮な官僚たちに過剰な意思決定権を与えた。彼らはわれわれにとって最高の科学者やエンジニアたちの訴えを無視したが、罰を受けたのはわれわれなのだ。

　チャレンジャー号の物語には、犠牲者と悪漢、そして二人の英雄が登場する。シャトルには、クリスタ・マコーリフという名の高校教師が搭乗していた。彼女は一般人の代表だった。悪漢は、ＮＡＳＡとサイオコール社の経営者たちである。英雄の一人はリチャード・ファインマンであり、彼は、一五年間にＮＡＳＡが何を学び損ねてきたのかを明らかにするのに、たった二分の時間と一杯の氷水しか必要としなかった。もう一人の英雄は、サイオコール社のエンジニアだったロジャー・ボージョレーという告発者である。打ち上げ前日、大惨事を恐れたボージョレーは、会社が打ち上げ決定を取り消すように懸命に努力した。ロジャーズ委員会がボージョレーの正当性を立証した後、彼はモートン・サイオコール社とＮＡＳＡを相手取り、もみ消しが行われたとして、一〇億ドルを争う訴訟を起こした。ボージョレーは、政府、そして法人としてのアメリカを相手に戦う小さな男だった。

「事件の後」に、英雄や悪漢たちの配役を割り当てることは簡単である。運命的な打ち上げ決定がなされたときに、登場人物たちが直面していたプレッシャーやディレンマ、そして不確実性は想像し難い。われわれは、Oリングとその危険性について、打ち上げ前に判っていたことを再現するために、時間を遡る旅をしなければならない。

そこで旅立つ前に、道徳心に欠けた打算的な経営陣が事故を引き起こしたのだというイメージを持ち続けることが、如何に難しいかを心に留めておこう。NASAの経営陣や官僚たちは、チャレンジャー号を打ち上げなければならないというプレッシャーにさらされていた。なるほど彼らも、他の誰にも劣らず、いつまでも打ち上げが遅れることによって、再使用可能で効率良い宇宙船というシャトルのイメージに打撃が与えられることを知っていた。また、そのように追い詰められた宇宙計画にとって、レーガン大統領の次の年頭教書演説との同時実況放送に「宇宙の高校教師」クリスタ・マコーリフが出演できるよう、チャレンジャー号を予定通り打ち上げれば、それは抜群の宣伝効果を持ったことだろう。しかし、どうしてこの数時間の予定に合わせるために、宇宙計画全体と彼ら自身の将来を危うくするような真似をしたのだろうか。当時、マーシャル宇宙飛行センター科学・工学理事で、NASA副局長だったジョージ・ハーディは、大統領委員会に対して次のように述べている。

まともな精神の持ち主なら誰でも、この数時間の予定のために、高まっていた飛行のリスクをわざわざ受け入れたりしないことは、簡単な論理で判ることだと望みたい。

(Vaughan, 1996, p.49)

どれほど自己中心的で不道徳な意図があったとしても、すべての経営者は、リスクと利益の計算では安全性に高い優先順位を与えなければならない。

チャレンジャー号打ち上げ決定に関するダイアン・ヴォーンの最近の研究では、Oリングの危険性が、経済的ないし政治的なプレッシャーが理由で無視されたのではないことが示されている。それが無視されたのは、あの運命のテレビ会議に出席していたエンジニアと経営陣のコンセンサスとして、工学データと彼らの過去の安全管理の経験に基づけば、その夜に、打ち上げを中止する明確な理由は何もないという結論になったからである。後知恵の明晰さをもって見れば、彼らは間違っていたことが判るが、問題の夜の時点で利用可能な技術的専門知識に照らせば、彼らが到達した決定には理が通っていたのだ。

Oリング接合部

固体ロケットブースター(SRB)は、固体燃料と酸素を燃焼させて動作する。シャトルの固体ロケットブースターは四五メートルあり、自由の女神よりやや低い。毎秒一〇トンの燃料を燃やし、シャトルを発射台から「押し上げる」のを助けている。個々のブースター内部で高温ガスが高圧になり、それが耐火性のノズルから噴射され、シャトルの上昇力を生み出す。この燃焼ガスの噴流は、金属を溶かすほどの力を持っている。ここで不可欠なのは、ガスが設計通りの場所以外のどこからも漏れないということだ。

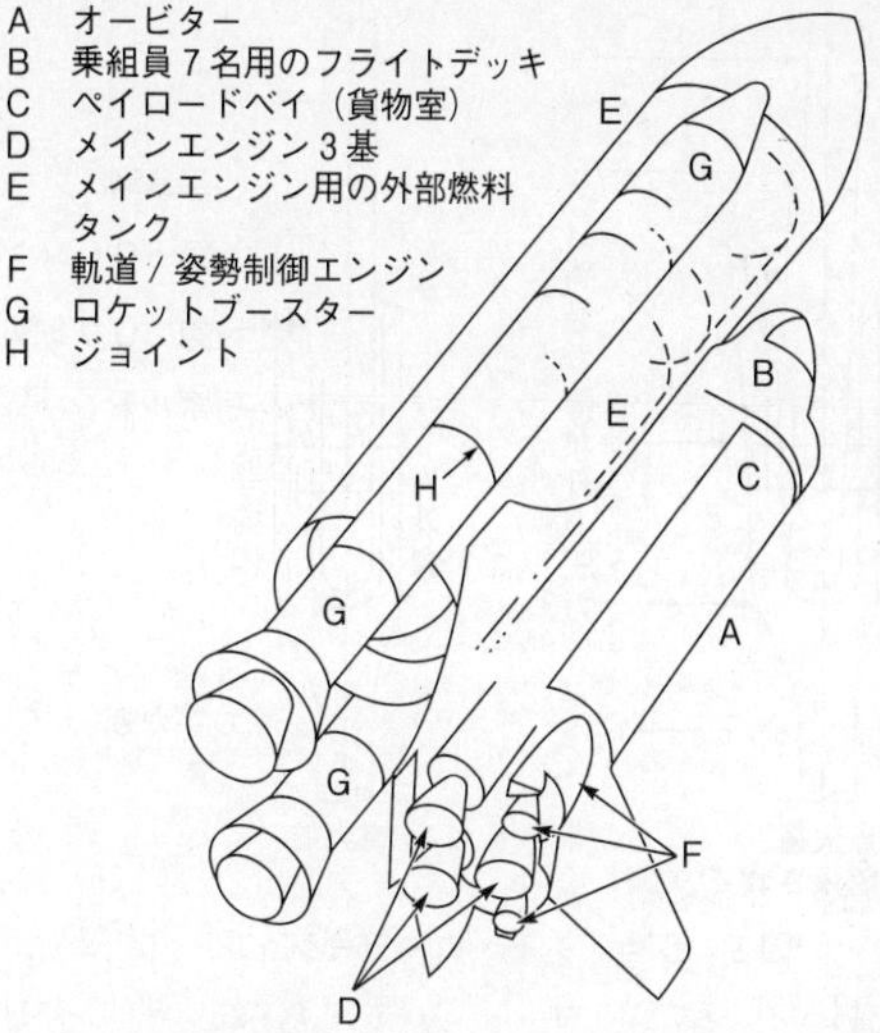

A　オービター
B　乗組員7名用のフライトデッキ
C　ペイロードベイ（貨物室）
D　メインエンジン3基
E　メインエンジン用の外部燃料タンク
F　軌道／姿勢制御エンジン
G　ロケットブースター
H　ジョイント

図2　スペース・シャトルの構成

いくつかの部分に分解できるブースターに固体推進燃料を充填するのは、さほど難しいことではない。シャトルのそれぞれのブースターは、四つの大きな円筒形の部分と、先端部およびノズルから成っている（図2）。それぞれの部分は、ユタ州にあるサイオコール社の工場で造られ、その後ばらばらのまま運ばれて、ケネディ宇宙

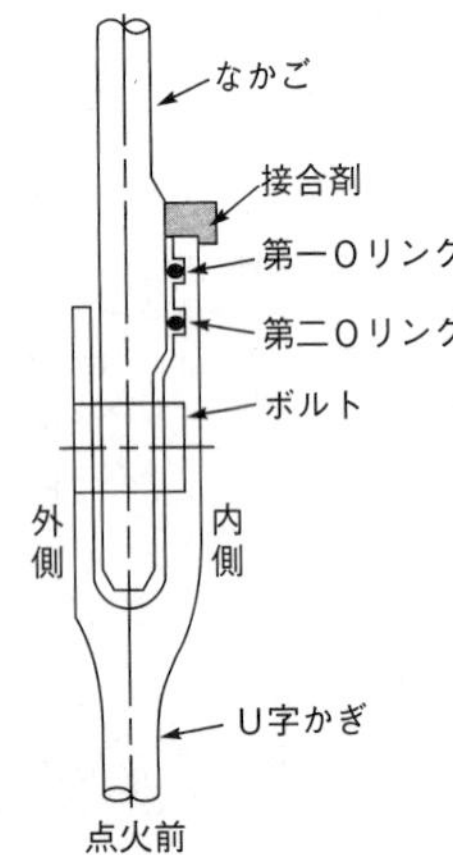

図3　ジョイント・ローテーション

センターで接合される。部分間のジョイントには、内部の巨大な圧力に耐えるように、特別な設計がなされていなければならない。ブースターが燃焼し始めた打ち上げ初期のコンマ何秒かの間に、個々の円筒部分は外側に向かって急速に膨らみ、ジョイントが曲げられ、正規の形からずれてしまう。これは「ジョイント・ローテーション（接合部回転）」という現象である（図3）。急速な膨張が起こる原因は、支持用の軸つばのついたジョイントが、上下にあるロケットの金属製外壁よりもずっと硬いためである。

　使用されたジョイントは、「なかご」と「U字かぎ」から成る。ブースターの円筒形の部分は、一つ一つが他の上端部に積み重なっており、各部分の下端部（なかご）が、下側の部分の上端にある特別な空洞（U字かぎ）の中に、一〇センチメートルの深さで、ちょうどよく収まるようになっている（図3）。各ジョイントは鋼鉄の軸つばに包まれ、一七七本の鋼鉄の留め針で固定されている。さらにジョイントは、ジョイント・ローテーションが起こる数分の一秒間に高温ガスが漏れるのを防ぐために、U字かぎの内側の特別な溝にはめられた二つのゴム製Oリングで密閉されている。

Oリングは、一周一一・六メートルで、断面の直径は六ミリメートルである。ブースターの各部分が積み重ねられると、Oリングは圧搾され（Oリングの「搾り出し」）、小さな隙間を埋める。石綿を主成分にした特製の接合剤が、高温の推進ガスからOリングを保護している。打ち上げ前にジョイントの性能を確認するために、漏出テスト用の孔が二つのOリングの間に穿たれている。ブースターの各部分が積み上げられた後に、リングが正しい位置にはまっているのを確認することは重要だ。空気を二つのリングの間に吹き込み、漏出がないか圧力を測る。皮肉なことに、この圧力検査が安全を脅かしていたことが後になって判った。つまり、テスト用に吹き込まれた空気が接合剤に噴気孔を作ってしまい、そこから高温ガスが侵入して密閉のためのOリングに達し、ついにはそれをすり減らしてしまうのである。

部分間のジョイントは、シャトルの他の多くの部品と同じように、見掛けよりずっと複雑である。「打ち上げ時の部分間の隙間の正確な大きさはいくらか」というような疑問ですら、確認するのが難しいのである。ブースターが停止しているときの隙間の大きさは、およそ〇・一ミリメートルだと言われている。しかし燃焼中のジョイント・ローテーションのためにできる隙間の大きさは未知なのである。隙間は〇・六秒間しか広がっていない。これは、さほど長い時間には聞こえないかもしれないが、あるエンジニアが述べているように「この件に関しては一生涯の長さ」なのである（Vaughan, 1996, p.40）。この〇・六秒間に何が起きているのかを正確に知ることは、尋常ならざる工学上の努力が必要なのである。チャレンジャー号が打ち上げられた時点で、隙間の最大値についての最良の推定は、一〇・七ミリメートルから一五・二ミリメートルの間で揺れていた。

固体ロケットブースターのジョイントの設計とテスト

これらの困難さはいずれも、モートン・サイオコール社が固体ロケットブースターの建造契約を勝ち取った一九七三年には明らかではなかった。ジョイントの設計は、非常に信頼できるタイタンロケットのものを基にしていた。そのジョイントはとても信頼できると、誰もが信じていたのである。タイタンには一つしかOリングがはめられていなかった。シャトルでは、その安全性をより高めるために、第二のOリングが、第一の密閉のバックアップ用につけ加えられたのである。NASAは、できる限り多くの部品に「冗長性」を持たせようとしていた。一つの失敗がミッション全体を失うことにつながるような箇所については、とくにそうだった。もちろん、すべての部品に冗長性を持たせられるわけではない。もしシャトルが翼を失えば、破滅的な失敗になってしまうが、シャトルにバックアップ用の翼をつけるべきだと提案する者は、誰もいなかったのである。

NASAとその契約者モートン・サイオコール社はともに、ブースター、ジョイント、そして密閉器の設計とテストに対する責任を負っていた。テストはしばしば、サイオコール社のあるユタ州と、NASAのロケット工学センター、つまりテキサス州ハウンツヴィルのマーシャル・センターで並行して行われた。マーシャルはNASAにとっての「王冠の玉飾り」だった。その初代所長は、伝説的なドイツ人ロケット科学者ウェルナー・フォン・ブラウンである。彼は、アポロ計画の成功の基礎を成した、卓越した技術拠点としてマーシャル・センターを設立した。この誇らしい歴史ゆえにマーシャルの研究者たちは、その専門技術と設備では、モートン・サイオコール社が提供できる如何なるものよりも優れていると考えていた。マーシャルのエンジニアたちは、保守的で厳格だと評判を集めていた。彼らは、契約業者側のデータや分析を「論破する」ことによって、契約者の誠実さを保つことが自分たちの仕事だと考えていた。このため、サイオコール社の側では、マーシャルの人間は「悪いニュースを運ぶやつら」として知られるようになった。サイオコール社のエンジニアたちは、より実際的な選択肢を好み、とりわけマーシャルから攻撃されているときには、「自分たちの設計に対して防衛的」だった。二つのグループの相異なる態度は、時には張り詰めた交渉に至り、何らかの長期的な論争に発展した。

もちろん両グループは、彼らが利用可能な最良の科学と工学を用いていた。もしも技術上の対立が生じた場合には、複数の方法による多数のテスト、そして最も厳密な工学的分析によって検証し、同じ結果に両グループが到達するまで、彼らは問題に取り組み、対立を解消しようとしただろう。しかし、これから見るように、厳密なエンジニアリング科学は、ゴーレム科学と同じように、常に手際よく整然としているわけではない。

初めの頃から、ジョイント・ローテーションの問題は両方のグループのエンジニアたちによって認識されていた。ただし、その重要性についての評価には違いがあった。サイオコール社のエンジニアたちによる計算では、燃焼時にジョイントは閉じることになっていた。マーシャルのエンジニアたちはこれに同意せず、ジョイントが瞬間的に開くだろうと計算した。ジョイントが開くことには、二重の帰結があった。（一）Oリングの圧搾つまり「搾り出し」が小さくなり、信頼性の低い密閉になってしまうこと、（二）Oリングの一つが所定の位置から外れてしまうこと、である。皮肉にもこの不一致では、当初サイオコール社とNASAのエンジニアたちは、チャレンジャー号打ち上げ前夜とは正反対の立場をとっていた。この場合、ジョイントに対する留保を表明したのはNASAであって、サイオコール社は設計通りにジョイントが機能することに自信を持っていたのである。

ハイドロバースト・テスト

この問題に取り組み、解決するために、一つのテストが考案された。ハイドロバースト・テストとは、圧力をかけた水をジョイントに吹きつけ、打ち上げ時にかかる圧力を模擬実験するものである。テストはサイオコール社によって一九七七年九月に行われ、各サイクルごとに打ち上げ時の圧力を再現した計二〇回の圧力サイクルが試された。その結果は、NASAが正しく、燃焼中の短い間にジョイントが開き、リングを吹き飛ばしてしまうことを示していた。サイオコール社は、ジョイントが開くことについてはNASAに同意したが、テストが非現実的であるために、その結果が自分たちの失敗を示す恐れがあるとは考えなかった。テストがどれほど現実の飛行状況を再現しているかに疑いを持った根拠には、二つあった。第一に、実際の飛行では、Oリングは燃焼時の圧力を二〇回ではなく、一回しか受けず、しかもデータは、二〇回のうち初めの八回はリングが完全に働いていたことを示している。第二に、テストはブースターを横に寝かせて行われていたが、使用時のブースターは鉛直の状態にある。サイオコール社のエンジニアたちは、ジョイントの漏れやすさを、水平状態のロケットに生じた重力による歪みのせいにしたのである。サイオコール社は、この最初のテストの後、大変自信を持っていたため、これ以上のテストを行う必要はないと考えていた。しかしながらマーシャルのエンジニアであるレオン・レイはこれに同意せず、さらに多くのことを主張した。

類似と相違

ここでエンジニアたちが直面している問題は、哲学者ルードヴィッヒ・ウィトゲンシュタインが提起した問題の変形である。二つの物が似ているのか違うのかは、常に人間による判断を含んでいる、とウィトゲンシュタインは指摘した。私たちはそのような判断を、日常生活のなかでいつも行っているのである。物は、それを使う脈絡に応じて、似ていたり違っていたりして見える。たとえば、さまざまな角度から、光の当て方をさまざまに変えて友人の馴染みのある顔を見るとき、私たちは「日常的な認識が行われる文脈」では、いつも見ている顔はいつも「同じ」顔だということに、何の困難も感じない。言い換えれば、いつも私たちは、これを「類似」の問題として扱っているのである。ところが、文脈がファッション写真を撮るときは、さまざまな光の加減やカメラ・アングルで撮られた写真一つ一つのなかで強調されている、顔の特徴における決定的な「相違」が重要になる。このような文脈で私たちは、これを「相違」の問題としていつも扱っているのである。

同じ考え方が、技術的なテストにも当てはまる。ほとんどのテストは、対象となっている技術が実際にどのように使われるかを模擬するだけなので、テスト結果を判断するときの決定的な問いは、そのテストは実際の使用とどれくらい似ているのか、である。ハイドロバースト・テストについてのモートン・サイオコール社の解釈は、二〇回もの燃焼サイクルによるテストは、実際のシャトルの使用とは十分に「異なる」ので、現実の打ち上げの際に何が起こるかを知るのに適した規準ではない、ということだった。他方、NASAの立場は、テストは実際の打ち上げで起こることに「似ている」というものだった。したがってNASAにとって、このテストは密閉器がはらんでいる問題を適切に示すものだった。

先に述べたように、NASAのマーシャル・センターは、保守的な技術哲学を持つことで知られていた。サイオコール社のエンジニアたちは、この哲学が、実際的な設計を行う必要性とのつりあいをとらねばならないと感じていた。

最悪の最悪の最悪の最悪のケースを取り上げて、それに備えた設計をしなければならないと彼らは言うが、それは実際的ではないのだ。ジョイントが密閉されるのかされないのか、どれくらいOリングが搾り出されるのかには、沢山の事柄がかかわっており、それらには何らかの最悪ケースに当たる最大値や最小値がある。……それらすべての最悪ケースを一緒くたにして、初期圧力をかけたときに、そのすべてに耐えるような設計をしなければならないと彼らは言う。はっきり言って、そんなことはできないし、部品を組み立てられもしない。

（Vaughan, 1996, p.99）

設計思想に横たわるこのような違いと、類似や相違を判断する際に生じる解釈上の抜け道があることを考えれば、テストだけでジョイントの効果のほどを確定できなかったことは、驚くべきことではないだろう。

さらなるテストを

さらなるジョイントのテストが行われた。しかしながら、それらの新しいテストは、事態をより混乱させただけだった。

不一致を解消すべく引き続き行われたテストも、単に新たな不一致をつけ加えただけだった。マーシャルとサイオコール社のエンジニアでは、ジョイント・ローテーションの結果生じた隙間の大きさについても意見が分かれた。ジョイント・ローテーション自体は必ずしも問題ではなかったが、隙間の大きさは問題だった。もしも隙間が大き過ぎれば、リングの密閉能力に影響し得る。しかし隙間の大きさを確定するテストは、対立する結果をもたらし続けた。……両方の立場でテストが繰り返し行われたが、不一致は解消されないままだった。

(Vaughan, 1996, pp.100–101)

それらのテストのうち、構造試験項目として知られるものは、打ち上げの際のシャトルの円筒形部分にかかると予想される圧力負荷を模擬していた。ジョイント・ローテーションの度合いを測定するために電子装置が用いられた。その結果は、問題はマーシャルが最初に考えたよりも深刻であることを示していた。隙間の大きさは、燃焼中にOリングの位置が二つともずれてしまうのに十分なほど大きかったのである。第一リングは圧力が襲ったときに溝から吹き飛ばされてしまった。第二リングは溝の中に「浮き上がった」まま取り残され、万が一、第一リングが密閉に失敗したとき、密閉できなくなるのだった。サイオコール社のエンジニアたちは、再びマーシャル側の解釈に挑戦した。彼らの見方では、問題があるのはジョイント・ローテーションではなく、むしろそれを測定するのに使った電子装置だった。彼らは、自分たちがテストで行った回転についての物理的な測定（彼らにとっては明らかにより優れた測定）に比べて、電子的に描かれた今回の測定結果は見当外れだと主張した。電子装置の目盛りが間違っていたに違いないと結論したのである。そして、彼ら自身の物理的測定結果がより小さい隙間の大きさを示していたため、第二Oリングは、実際には密閉が可能な位置にあるだろうと推測した。

またもやわれわれは、テスト結果の曖昧さに遭遇している。ここでの論点は、ゴーレム科学の中心にある人間活動のもう一つの側面である。それは、「実験者の悪循環」という前著『ゴーレム』で導入した論点だ。これは、結果が争われているような研究の最前線に存在する、実験における身動きのとれないディレンマ状態を指している。「正しい」結果は、問題となっている実験やテストが適格に行われたときにのみ得られるが、実験が適格かどうかは、その結果によってのみ判断されるということだ。

状況を支配している論理は次のようだ。何がテストの正しい結果なのか。大きな隙間なのか、それとも小さな隙間なのか。正しい結果は、大きな、または小さな隙間が検出できるかどうかにかかっている。これを確かめるためには、良いテストを考案し、やってみなければならない。けれども、何が良いテストかは、それを実行し、その結果が正しいことが判るまでは判らない。しかし、良いテストが行われるようになるまでは、何が正しい結果かは判らない。……以下同様に、潜在的には無限にこの悪循環が続くのである。

NASAにとって良いテストとは、隙間は密閉器に問題を生じさせるのに十分な大きさである、という彼らの見解を支持する電子データをもたらすものである。モートン・サイオコール社にとっての良いテストは、隙間は小さく、期待通りに密閉器が機能する、という彼らの見解を支持する物理的測定に基づいたものである。両者のテストに対する信頼は、彼らの測定器具が「最も科学的」で、したがって「最も正確」で「最良」の結果をもたらすのだという信念から来るものである。

物事がうまくいっていることを確かめる

たいてい実験者の悪循環は、他の事柄を考慮することによってすぐに止む。もしも二つのエンジニア集団が、食い違いに関して同意できなかったならば、恐らく他の集団が必要な確実さを与えてくれる。そこで、必要な技能とOリングに馴染みのある第三者が呼び出された。つまりOリングの製造業者たちである。不幸なことに、このケースでは、彼らは問題を解消することができなかった。彼らは、隙間の大きさは業界の標準よりも大きいことを認め、Oリングには設計で意図された以上の働きが求められていると述べた。しかし彼らは、次に「実際の条件をより忠実に模擬」するさらなるテストを要求し、責任をエンジニアたちに押しつけた。NASAのレオン・レイは次のように述べている。

製造会社の技術陣への報告で、こう話したんだ。ジョイントは開いて、その隙間の大きさはこれこれだ。どうしたらいいんだ。ハードウェアはもう組み上がっていて、間もなく飛び立とうとしているんだ。どうするべきなんだ？　すると彼らはこう言ったんだ。それは難しい、本当に難しい問題だ。「みなさんには申し訳ないと思っている。みなさんがどうしたらいいかはわからないが、十分に調べて、答えよう」。……その後、どちらの会社も手紙をよこして、こう言ってきた。「ほら、君たちは、手許にあるもの（ハードウェア）でうまくやっていくしかないんだ。物事がうまくいっているのを確かめるために、十分なテストをやるんだ」。これが連中の提案さ。このまま作業を続けて、何かテストをやり、手持ちのものでやっていけ、君たちに話せるのはこれがすべてだ、と。だから、われわれはそうやったんだよ。

（Vaughan, 1996, p.103）

そこでジョイントの再設計がレイによって検討されたが、この期に及んでそんなことをしては、恐らく、シャトル計画を大幅に遅らせることになっただろう。しかし、レイも含めてすべての関係者が、自分たちのジョイントをうまく動作するように造らねばならないと感じていた。彼らには、あらゆる環境でそれが正しく動作するかどうか、確信がなかったのである。

エンジニアたちを批判するために、絶対的な確実性という基準を持ち出すことは間違いである。スペース・シャトルのような未知の技術の発展は、常にリスクと不確実性を伴う。結局、リスクの大きさを確実に知ることはできないのだという認識は、現場のエンジニアたちによって共有されていた。彼らは、「うまくいっている」ことを確かめるために最善を尽くす。マーシャルのラリー・ウェアの発言が、この態度をよく表している。

どんな航空機設計者や自動車設計者、ロケット設計者も、Oリング密閉器は密閉できなければならないと言うだろう。彼らは皆、これに同意するだろう。しかし、どの程度まで密閉しなければならないのだろうか。完全で、まったく漏れない密閉器は存在しない。すべての密閉器が、いくらかは漏れるのである。したがって、われわれは「漏れる密閉器とは何か」という問題領域に入っていくことになる。業種が違えば、その厳しさや許容可能な程度も違うだろうが、すべてが「密閉器」という同じ定義の範囲内にある。……どれくらいが受容可能なのだろうか。まあ、それは経験的であるとともに、とても主観的でもあるだろう。われわれが本当に我慢できるのはどこまでかを知るためには、いろいろな経験を積む必要があるのだ。……（p.115）

そしてOリングも、不確実さのある沢山のシャトルの部品の一つに過ぎないことを念頭に置くべきだろう。

最悪のシナリオに備えたテスト

隙間の大きさを巡る論争を解消するために、新しい戦略がついに現れた。最も問題となっているのは、隙間の正確な大きさではなく、Oリングが密閉器として実際に機能するかどうかだ。隙間の大きさをNASAやサイオコール社の予想よりもはるかに大きくして、その密閉の効果を調べるテストが実行された。今度のテスト結果では合意が得られ、また業界のガイドラインの範囲に背くような打ち上げ時に予想される如何なる条件よりずっと過酷な条件下でも、第一Oリングが密閉を行うことが判ったのである。さらなるテストとして、第二Oリングの働きも調べられた。Oリングの侵食を模擬するために、第一Oリングが痛めつけられたうえで、燃焼中の圧力の下でテストが行われた。このような環境の下で、第二Oリングが密閉を行い、ジョイントが望まれた冗長性を持っていることが確かめられたのである。

次に二つのグループは、可能な限りジョイントをきつくして、Oリング最大の「搾り出し」を生じさせてみた。つまり彼らは、最高の品質に保ちながらOリングを大きくするとともに、ジョイントに「詰め木」、つまり薄い金属のウェハースをジョイント内部にはさみ込み、さらにきつくしたのである。

ロジャー・ボージョレーがサイオコール社のチームに加わったのは、この頃(一九八一年七月)だった。先述のように、Oリングの圧搾の程度は業界標準の一五%を下回っていた(ジョイントの圧力によってゴムが収縮する最小値)。NASAのレオン・レイとサイオコール社のロジャー・ボージョレーは、密接に連携し、双方が受け入れられる値に達することができた。ボージョレーの上司であるアーニー・トンプソンは、次のように述べている。

彼(ロジャー)は本当にいい経験をした。難しく、骨の折れる、頭がクラクラするような経験を、まずはレオン(レイ)とした。なぜなら、二人とも活力あふれる人間であり、信じているもののために頑張っていたからね。恐らくは七カ月か八カ月にわたる困難なやり取りの後、ロジャーとレオンは合意に達した。……約七・五%の搾り出し(初期圧搾時)という値で……これを下回ることはないだろう、と。実際、そんなことにならないように、ハードウェア(詰め木)を選んだのだ。(Vaughan, 1996, p.104)

レイは、NASAの代表として、ジョイントに満足していたと伝えられている。ジョイントのテストが行われたとき、彼はこう言ったという。

実にうまくいった。うまくいったんだ。どんな食い違いも見当たらない。七・五%で漏れることはないんだ。(p.104)

続けてレイは、彼の見解をこうまとめている。

われわれはテストを信頼していた。第一リングが常にジョイントに押し込まれ密閉することを、データは物語っていた。タイタンは何年も、たった一個のOリングだけで飛行していた。もし最悪のシナリオで第一の密閉が行われなかったとしても、第二の密閉を信じることができるのだ。（p.105）

両方のエンジニア集団とも、ジョイントが設計通りに機能しないことは認識していたが、そのリスクが受け入れ可能な程度までは十分によく機能するという感触は持っていた。両グループは今や、第一のリングが密閉を行うことに同意し、ジョイントには冗長性がある（つまり第二のリングがバックアップとして働く）と主張した。しかし彼らは、冗長性についてやや異なる理解をしていた。ＮＡＳＡはまだ、サイオコール社が考えているよりも大きな隙間ができると考えていた。ＮＡＳＡは、燃焼初期では冗長性があるだろうが、第二のリングが正しい位置になく、燃焼後期に第一のリングが壊れるようなＷＯＷ状況（Worst on Worse, より悪い条件での最悪状況）では、そうではないという感触を持っていた。サイオコール社は、より小さい隙間の測定結果に基づいて、第二のリングが常に密閉できる溝に入っているので、すべての時点で冗長性があると考えていた。ボージョレーは次のように述べている。

あらん限りの誠実さをもって、レオン・レイら技術屋と私は、『フライト・レディネス・レヴュー』誌でずっと論争し続けていた。なぜなら、私は（隙間の大きさを）一〇・七ミリメートルとしたのに対し、彼らは、私が小さ過ぎる数値を使っていると主張していたからだ。私はノーと言い、ブースターは実際には水平に飛んだりしないのだから、水平の場合の数値（マーシャルの一五・二ミリメートル）は当てはまらないと言い返したのだ。

(p.106)

サイオコール社とマーシャルが、ジョイントのリスクは「受け入れ可能」としたことは、NASAの官僚たちによって公式に支持されるようになり、シャトルは最初の飛行を待つばかりとなった。ジョイントは、認可プロセスの一部であるいくつかの正式の官僚的なリスク評価に合格したのである。

シャトルの最初の飛行

ついに固体ロケットブースターのジョイントにとって、究極的なテストが行われた。つまり最初の飛行である。それまでのすべてのテストと違って、「テスト」と「現実の技術の使用」の間のギャップはついに埋められた。

一九八一年四月一二日、最初のスペース・シャトルが打ち上げられた。地球を三六回周回し終えた二日後、シャトルはエドワード空軍基地に無事着陸した。二つの固体ロケットブースターは海から回収され、分解された。ジョイントには何の異常も発見されなかった。それらは、マーシャルとサイオコール社のエンジニアたちが予想していた通りに、正確に動作したのである。

一九八一〜八五年、侵食と噴き抜けは受け入れられ、予期されるようになった

シャトルの二回目の飛行は、一九八一年一一月に行われた。サイオコール社はエンジニアチームと写真家をケネディ宇宙センターに派遣し、回収されたブースターの検査を行った。ケネディで、サイオコール社のオペレーション管理者ジャック・ブキャナンは、何かがおかしいことに最初に気づいた一人だった。

> 最初、われわれが見ているものが何なのか判らなかったので、それを研究室に運んだ。彼らは、われわれが見つけたものを見て大変驚いていた。（Vaughan, 1996, p.120）

彼らが見ていたものとは、一個の侵食されたOリングだった。高温ガスがゴムを、およそ一・三ミリメートルの深さまで焼き通してしまっていたのである。これは、それほど大

きな問題には思えないかもしれないし、一六個のうちたった一個のジョイントが影響を受けたに過ぎない。しかし、Oリングの侵食はタイタンには起きていないし、シャトルのエンジンの燃焼試験や前回の飛行でも見当たらなかったのである。それは初めてのことだったのだ。エンジニアたちは、何が悪くなってしまったのかを直ちに調査し始めた。間もなく説明はついた。Oリングを保護している接合剤に、小さな穴が空いているのが見つかったのである。そのせいで、推進ガスがOリングそのものに到達してしまったのだ。マーシャルのエンジニアは次のように説明している。

接合剤によって局所的に高温の噴出ガスが作られ、Oリングに向けてまっすぐ穴を穿ったのである。(p.121)

そこで、問題が再発するのを防ぐため、接合剤に異なる組成と塗り方が試された。侵食されたOリングは、実は良いニュースをもたらしてくれた。侵食はあった。しかし、それでも第一のリングは密閉を行っていたのである。また、侵食されたOリングに対するテストによって、固有の余裕安全率を割り出すことができた。第一のリングから小さな断片が切り取られ、実際に起きたものよりほぼ二倍大きい侵食が模擬実験された。この規模の侵食があっても、密閉は行われることが判ったのである。この実験は、燃焼中に予想されるものより三倍も高い圧力の下で行われた。サイオコール社のあるエンジニアは、次のようにコメントしている。

> われわれはその侵食が気になっていた。しかしそれでも、苦痛を軽減してくれる状況が二つ得られた。第一に、それがとても早い燃焼段階で起きたことである。……もしも第一のリングがその段階で完全に燃え尽きても、……第二のリングがそれを受け止める正しい位置にいるだろう。加えて、Oリングの大部分が失われた場合ですら、ひとたびそのリングが隙間に入り込んで、密閉可能な位置に収まれば、高圧でも完全に密閉できることが判ったのである……。(p.122)

新しい接合剤を用いることによって、次の飛行は計画通りにいった。侵食は一つもなかった。このことは、自分たちは侵食の正しい説明ができたのだ、というエンジニアたちの信念を確証することになった。

実用可能になる

一九八二年七月四日、四回目の飛行が無事終了した後、レーガン大統領は、シャトルが今や実用可能になったと公式に発表した。このような声明にもかかわらず、多くの部品の研究開発が速いペースで続けられ、突然の不調に見舞われることもしばしばだった。たとえばレーガンが声明を出すきっかけになった四回目の飛行でも、固体ロケットブースターが誤ってパラシュートから切り離されてしまい、大洋に落下し、回収できなくなってしまった。これによりエンジニアたちは、Oリングの動作に関する大量のデータを集積する機会を奪われてしまった。確かにシャトルは、商業用航空機がそうであるような意味で、実用可能な技術ではなかったのである。チャレンジャー事故によって引き起こされたショックの一部は、間違ったイメージから生じている。連邦議会議員と一般市民をシャトルに乗せて飛ばすという、NASAがまったく崩そうとしなかったイメージである。シャトルは、これまでずっと、そして予見可能な未来においても、リスクの高い現状水準のままの技術なのである。チャレンジャー事故以降、ジョイントは設計し直され、当局の指揮による新しい安全手続きの採用があったにもかかわらず、今日でさえ、公式のリスクとして一〇〇回に一度の破滅的事故が起こり得るとされている。それは、商業用の乗り物の場合に想定されているリスクよりも、はるかに大きい。

Oリングの侵食があった証拠が、さらに一九八三年と八四年にも見つかった。しかしながら、そのパターンは苛立たしいくらい散発的であり、たいていは一回に一つのジョイントに影響が見られる程度で、侵食の原因はたいていうまく説明できる程度のものだった。あるケースでは、接合剤にまたも欠陥が見つかり、別のケースでは、飛行前に第二Oリングが溝にはまっているかどうかを調べる空気圧の突然の上昇によって、接合剤に吹き抜け孔が生じてしまった。テストと分析が繰り返され、次第にエンジニアたちは、ジョイントの振る舞い方をよりよく理解できるようになってきたと考え始めた。高温ガスは、燃焼開始段階のごく短い間だけリングに影響を及ぼすのであり、したがってジョイントが密閉される前には、限られた規模の侵食が起こるだけのように見えたのだ。ジョイント全体にわたってかかる圧力を等しくすることで、ガスの流れは止み、それ以上侵食は起こらなくなった。このことから、侵食は「自己制限的要因」であるという重要な考え方が導かれた。一九八四年の最後の二回の飛行では、まったく侵食が起こらず、自分たちは問題を支配下に置いている、というエンジニアたちの信念が確証されているように見えた。

噴き抜け

一九八五年、最初のOリングの噴き抜けが起きた。「噴き抜け」とは、高温の燃焼ガスが、密閉が行われる前のほんのわずかな時間に、第一Oリングを通り越し、噴き抜けてしまうことを指している。噴き抜けは、高温ガスが第二Oリングをも脅かし、ジョイントの冗長性を危うくしてしまうために、第一Oリングの侵食より深刻である。一九八五年の最初の打ち上げの際には、フロリダの記録的な最低気温が三夜連続して続いた。この飛行での噴き抜けは、第二Oリングまで達していたのである。

この噴き抜けのケースの後、ロジャー・ボージョレーはとくに、低温と損傷の間にはつながりがあるのではないかという感触を持つようになった。回収後のジョイントを調べ、内部に油性物質を見つけた。この油性物質は黒く燃えており、二つのOリングの間から生じたものだった。彼にとってそれは、寒さが第一Oリングの密閉能力に影響を及ぼすことを示すものだった。ボージョレーは直ちに、寒さとOリングの働きに関する組織立ったデータを探し始めた。彼が直面していた問題の一部は、それまでのすべての研究では、過度の熱がOリングに与える影響を考慮してきたことだった(主燃焼室内部の温度は摂氏三三〇〇度であり、鉄の融点を超えていた)。ボージョレーは、Oリングに関する自身の所見を持っていたが、未だ手にしていなかったのは「ハード」なデータだった。マーシャルの技術文化では議論が重みを持ち、科学的だと考えられるためには、ハードな定量的データが必要だった。ボージョレーは、寒さがOリングに及ぼす影響を調べるテスト計画を指揮することによって、それらデータの収集に着手した。しかしながらこの計画は、急を要するものではなかった。というのも、皮肉にも、記録的な低温は滅多にあるものではなく、繰り返すこともないと考えられていたからだ。

マーシャルとサイオコール社のエンジニアたちは、最初の噴き抜けについて不安を感じていたにもかかわらず、ジョイントのリスクを受容可能なものと引き続き判断できる、次の三つの根拠があると考えていた。（一）侵食はまだ彼らの経験の範囲内にあったこと（これまで経験した最悪の侵食よりも小さい）、（二）起きた侵食の規模は、切り取ったOリングの断片に対するテストによって明らかになった余裕安全率の範囲内にあったこと、（三）その現象はまだ「自己制限的」であるように見えること、である。このような理由から、温度に関して新たにつけ加わった懸念にもかかわらず、（ロジャー・ボージョレーを含めて）サイオコール社の人々は、次の飛行について『フライト・レディネス・レヴュー』誌上で、「それは同じ振る舞いを示すだろう。条件は望ましいものではないが、受け入れ可能なものである」と結論したのだった（Vaughan, 1996, p.156）。

一九八五年四月の飛行（時節柄の高めの気温のなかで打ち上げられた）では、第一Oリングが完全に燃え尽き、高温ガスが初めて第二Oリングまで侵食した噴き抜けが起こった。これは大いに懸念を呼んだが、詳しい分析によって噴き抜けの特殊な原因が見つかった。第一Oリングでの侵食はあまりにひどく、打ち上げの最初の数ミリ秒間に起こったに違いない。第一Oリングは正しく密閉を行えなかったのだろうということを物語っていた。他のOリングは一つも損傷していなかったため、そのOリングだけが最初から傷ついていたに違いない。この傷の原因は、いつのまにかジョイント内に入り込んでしまった髪の毛一本、あるいは糸くず一つでも十分なのである。このハプニングの再発を避けるために、漏出圧力テストが提案された（正しく据えつけられていないOリングからは、より多く漏れる)。またもや、たとえ第一の密閉が失敗しても、第二の密閉が機能し、冗長性のあることが確認された。第一Oリングの侵食がすぐ次の飛行で起きたときも、エンジニアたちはジョイントの働きを理解できていると考えていた。しかしその原因は、より高くされた漏出テストの圧力により接合剤内部に生じた噴き抜け孔によって、説明されただけだったのだ!

初めて噴き抜けに遭遇した一九八五年の出来事は、間違いなく、エンジニアたちに高まる不安をもたらした。ありとあらゆる評価や分析、テストが指示され、そのなかには上述のように、低温下でのOリングの弾性を調べるテストも含まれていた。にもかかわらず、ロジャー・ボージョレーも含め、直接関与していたすべてのエンジニアたちは、未だにジョイントのリスクは受け入れ可能なレベルだと考えていたのだった。

チャレンジャー号打ち上げの決定

今や私たちは、多くの事故調査担当者たちが信じられないとしたことを、理解する用意ができた。すでになされたあらゆる警告と、Oリングの損傷と低温のあり得る関係について、打ち上げ前夜にサイオコール社のエンジニアたちの指摘があったにもかかわらず、どうしてチャレンジャー号は打ち上げられたのか。

これまで見てきたように、ジョイントは完全ではなかったが、それはシャトルの他の多くの部品も同様だった。また、関連のエンジニア集団は、何年もかけて、ジョイントの特性に関する知見だと彼らが信じているものを手に入れてきた。やっとのことで勝ち取ったその知見が、さらに問題を含んでいるかもしれない未経験の新しい設計のために、容易に手放されることはなかった。チャレンジャー号事故に関する誤解の多くは、後知恵の明晰さから生じるだけではない。本書にとってより重要なことだが、技術的知識は確実な知識だという間違った見方からも生じてくるのである。リスクについての専門エンジニア自身の見方と、専門外の見方との対立は、大統領委員会への証言からも見て取れる。次の抜粋は、連邦航空局の弁護士トラプネル女史が、サイオコール社のエンジニア、ブリントン氏に尋問している場面である。

ブリントン：うまく機能しているシステムに変更を加えることは、大変深刻なことなのです。

トラプネル：うまく機能しているシステムというときに、あなたが意味しているのは、役目を果たすシステムのことですか。それとも予定に間に合うよう機能する必要があるシステムのことですか。

ブリントン：私が言おうとしたのは、くだけた意味でです。つまり「壊れていないのなら、直す必要はない」ということです。

トラプネル：システムは壊れていないと考えたのですか。

ブリントン：確かにちゃんと動いていました。私たちの分析によれば、それは自己制限的なシステムなのです。その働きは非常に満足のいくものです。……

トラプネル：そうですか。では、私が理解していないようですね。あなたは一方では、それは自己制限的な状況だと言い、……しかし他方では、エンジニアたちは燃え尽きた場合の破滅的な結果に気がついていたと言っていますが。

ブリントン：そうですね、こう言わせて下さい。スペース・シャトルも含めて、どんなロケット・エンジンにも、側面に穴が空いたり、隔壁が失われるなどの破滅的な事態になり得る沢山の要因があります。沢山の要因です。その一つがOリングからの漏出なのです。私たちは、Oリングに見られた損傷を評価し、確かめてきました。私は信じています。私たちが見てきた損傷が自己制限的な現象から生じるものであり、破滅的な失敗に至るものではないということにNASAが満足していたことを。

トラプネル：……サイオコール社自身のエンジニアの一人（ボージョレー）が、Oリングの現状から破滅的な失敗や人命の損失がもたらされ得ると考えていたと聞いたら、あなたは驚きますか。

ブリントン：私も、道を下っている自動車の前輪が外れれば、そうなり得ることは十分に理解しています。私はそのリスクを進んで負っているのです。ジョイントのリスクが、自動車のリスクと比べて高いとは考えておりません。

（Vaughan, 1996, pp.188-189）

ジョイントが抱えている問題は、多くの事故調査担当者が推測しているように、NASAによって隠されたり無視されたりしたわけではなく、エンジニアたちは実によくその問題点とリスクに気がついていたのである。彼らは、ジョイントとその問題点と何年もの間共存してきたのであり、その特性について自分たちは実によく理解していると考えていた。彼らは、ジョイントにはリスクがあり、さらには宇宙飛行士たちの命にかかわるリスクがあることも知っていた。しかしこのことは、シャトルの他の部品についても言えることなのである。

重要なのは、運命を決定づけたテレビ会議に出席したエンジニアや経営者たちは、無知の状態にあったわけではない点を理解することだ。彼らは、ジョイントについて積み上げられたすべての経験と知識を携えて、会議に臨んだのである。彼らに与えられたどんな新しい情報も、この経験と知識の文脈のなかで評価され、彼らがいつも用いている規準によって判断されねばならなかったのである。

打ち上げ前のテレビ会議

サイオコール社のエンジニアたちが、事態を決定づけたテレビ会議の準備をしているときの出来事の経過を追ってみよう。

サイオコール社の主たる懸念は、寒い天候では、Oリングの弾性が弱まってしまうだろうということだった。長い議論と分析の後、サイオコール社は、Oリングの温度が摂氏一二度以上にならなければ、「打ち上げ中止」を勧告すると決断した。この温度は、それまでで最も寒かった打ち上げ時のOリング温度の計算結果である。

サイオコール社は、どちらの判断にするか、強い技術的見解を持っていたわけではないが、慎重に行動することを決断したのである。打ち上げ時のOリング温度の予想（摂氏マイナス二度）は、それまでに経験した最低温度を一四度も下回っていた。Oリング温度が最低だった飛行では、最悪の噴き抜けが起きていた。Oリングの搾り出しはより小さくなり、溶け出した油性物質の粘性はより高くなる。その結果、Oリングがジョイントの隙間に押し出されるのにかかる時間――Oリングの作動時間――は、より長くなってしまう。したがって、第一および第二Oリングが密閉を行えるかどうかを疑わざるを得なくなる。

会議が始まる前にサイオコール社のエンジニアたちから、自分たちの技術報告に不備があることが指摘された。二件の噴き抜けを比較したロジャー・ボージョレーの図表の一つは、二件のうち寒い一月の打ち上げの方に、より大きい損傷があったことを示していた。ところがこの図表は、温度のデータを一つも含んでいなかった。しかし他のサイオコール社の図表が、二回目の飛行時の温度は摂氏二四度だったことを明らかにしていた。これら二つの図表を一つにすることによって、サイオコール社の議論に重大な矛盾が生じた。二つの最悪の損傷が、最高温度と最低温度の両方で発生していたのである！

三四人のエンジニアと管理職が出席したテレビ会議は、午後八時一五分（東部標準時間）に始まった。出席者は、はっきりとエンジニアと経営陣に分断されていたわけではなかった。なぜなら、エンジニアリングの職歴では、経営者になる人もすべて、元は訓練を受けたエンジニアだったからだ。サイオコール社は、すべての図表を提示し、温度が摂氏一二度になるまで打ち上げを控えるべきだとする根拠を示した。温度が損傷に関係するというサイオコール社の議論の不備は、すぐに気づかれた。ボージョレーは、彼が行った目視点検を引き合いに出した。そこで彼は、その懸念を定量化できるかどうか繰り返し尋ねられたが、明確に答えることはできなかった。サイオコール社の報告には、他にも矛盾が見つかった。

打ち上げのためにケネディにいたＮＡＳＡの固体ロケットブースター管理長ラリー・ムロイが、攻撃の火蓋を切った。彼の論点は、サイオコール社が当初から、なぜジョイントのリスクは受け入れ可能かについて三要因からなる根拠を示しており、これまでずっと支持してきたことであった。そしてこの支持は、前回の低温時の打ち上げの際に損傷が報告された後でさえ続けられていたのである。ところが今になって彼らは、温度を新しい要因として導入したがっているが、彼ら自身のデータによれば、Oリングの噴き抜けと温度との相関はあり得なかった。温度が低下するにつれてOリングの搾り出しが少なくなることですら、決定力を欠いていた。弾性は下がるものの、摂氏マイナス七度でも弾性は正で、製造者が要求している最小値よりもはるかに大きいと、ムロイは論じた。彼の結論は、最悪のシナリオでは第一のリングが損傷を受けるかもしれないが、第二のリングが密閉を行わないという証拠は何もない、というものだった。

テレビ会議のすべての出席者が、サイオコール社は技術的に弱い議論をしていると感じていた。最も論議を呼んだのは、摂氏一二度未満では打ち上げを見合わせるべきだという彼らの勧告だった。これは、摂氏マイナス一度での噴き抜けはないと示している彼ら自身のデータと矛盾しているように見えた。手続き的には、最後になって新しい規準を持ち出すことは奇妙に見えた。それは過去にサイオコール社自身が背いた規準なのである。一二月のうちの一九日間と一月のそれまでの一四日間では、ケープ・カナベラル周辺の気温はずっと摂氏一二度の限界値を下回っていた。そしてテレビ会議当日朝の周辺の気温も、午前八時で摂氏三度だったが、そのときはサイオコール社は何の懸念も表明しなかったのである。会議出席者の多くの目に、摂氏一二度というサイオコール社の選択は、やや恣意的であるように映ったのである。

ムロイはストレートに主張した。実際のところサイオコール社は、まさに打ち上げ前夜というときになって、名目だけの新しい規準を押しつけようとしているのだ。これが彼に、悪名高い次の言葉を吐かせた。「何ということだ。サイオコールよ、いつ打ち上げをしてほしいんだ。次の四月か」。このコメントは、その後に起きてしまったことに照らせば、いささか不運な言葉であり、彼が安全よりも飛行スケジュールの消化を優先させた証拠として、彼を批判するために用いられた。ムロイの発言は、修辞的効果のために誇張されてはいるが、彼の懸念を明らかにしている。つまりサイオコール社は、シャトルの未来全体に影響するとても深刻な結論と勧告の根拠を、摂氏一二度の限界値という、データによる裏づけがないと彼には思えることに置いている、ということだ。

ここでのムロイの見方は、テレビ会議の多くの出席者によっても繰り返された。マーシャルのラリー・ウェアはこう言っている。

……間違いなくそれは、まともで妥当な論点だった。なぜなら、宇宙船は一年中打ち上げられるものとして設計され、意図されていたからだ。判断規準には、これが暖かな日の打ち上げだけに限られると言っているものなどない。もしもそうしたとすれば、深刻な変化を招くことになるだろう。

（Vaughan, 1996, p.311）

もう一人のマーシャルのエンジニアであるビル・ライエルは、次のようにコメントしている。

……一二という数字を黙って受け入れることの意味は、信じられないものである。打ち上げの前夜にやって来て、薄弱な根拠を基にそんなことを勧告するというのは、……私には理解できない。(p.311)

ムロイの「四月」発言の後に続いて喋ったのは、ムロイの上司ジョージ・ハーディだった。ムロイの議論を強調しながら彼は、摂氏一二度が限界値というサイオコール社の勧告を聞いて、自分は「ぞっとした」と述べた。彼もやはり、サイオコール社の技術的議論の弱さを繰り返し指摘した。また彼は、記憶に残る所見も述べている。「私は、契約者の勧告に反して打ち上げに同意したりはしないだろう」(p.312)。

ハーディの「ぞっとした (appalled)」という言葉の使い方は、何人かの出席者にとって重要だったようだ。あるサイオコール社のエンジニアは次のように述べている。

私はジョージ・ハーディを深く尊敬しています。絶対的に、です。私は、純粋に私自身の気持ちとして、あのとき、あの言葉にびっくりしたのをはっきり覚えています。……そして（「ぞっとした」という）あの言葉自体が、部屋にいた人々に重大なインパクトを与えたのだと心底思っています。みながそれを受け止めました。それによって私は、ハーディ氏が、私たちの議論は妥当ではなく、打ち上げ準備を続行すべきだとはっきりと考えていることが判りました。（p.312）

ハーディと馴染みのある他の出席者たちは、こうした活発な議論を通じて、マーシャル側の反応に普通でないものは何もないのだと考えるようになった。サイオコール社のビル・マクベスはこう言っている。

いいえ、間違いなくそれは、ジョージ・ハーディらしい発言でした。ジョージ・ハーディとラリー・ムロイは、言葉のうえでは違いがありましたが、基本的には同じコメントを繰り返して、彼らが私たちの技術評価に同意していないこと、その理由は、私たちの評価には偏りがあり、利用可能なすべての情報に開かれていなかったからだということを教えていたのです。……彼らが言おうとしていたのは、それまでの私たちの行動や報告を彼らが覚えているのに、そのことを私たちが本当に注意深く考えてはいないこと、そして私たちが報告を偏向させてしまったことなのだと思います。この指摘が取引先からなされたことに、私は戸惑いと心地悪さを感じました。私たちは、そのことを考えられるくらい賢明であるべきでしたが、そうではなかったのです。（p.313）

マーシャルのエンジニアたちは確かに激しく反論した。しかし、それはまったく普段通りなのだ。長年、二つの技術者グループは猛烈な論争を繰り返してきたのである。しかし新しかったのは、契約者が打ち上げ中止を勧告してきたのは、今回が初めてだったということだ。

サイオコール社は、テレビ会議を一時中断して、五分間の内輪の幹部会議を持ちたいと申し出た。ダイアン・ヴォーンの報告によれば、なぜ内輪の会議が必要だったのかと尋ねられたすべての出席者が、それはサイオコール社の議論があまりに弱かったからだと答えたという。マーシャル側は明らかに、サイオコール社が、しっかりした根拠のある打ち上げ中止勧告を、ただしより低く理に適った限界値温度を携えて、会議に戻ってくるのを期待していたのである。

ユタでは、五分間の議論が三〇分に長引いていた。上席副社長ジェリー・メイソンが議長を務め、ムロイが指摘した論点を繰り返すことから始めた。ボージョレーとアーニー・トンプソンは、先に示したものと同じデータを用いながら、自分たちの見解を必死に守ろうとした。メイソンはこれに反論の布陣を敷き、他のエンジニアたちはほとんど黙っていた。

最後になってメイソンが、もし新しい技術的情報が何もないならば、あとは経営上の判断に任せるべきだと述べた。新しい情報を求めたメイソンに、一人のエンジニアも答えなかったのである。自分たちの勧告が覆されつつあると危惧を抱いたボージョレーとトンプソンは、席を離れ、最後にもう一度議論を繰り返した。ボージョレーは、メイソンと年上の同僚たちの正面に二枚の噴き抜けの写真を置き、二つの打ち上げにおける煤（すす）の量の違いを示してみせた。もうどうにもならないと感じ取ると、二人のエンジニアは席に戻った。そしてメイソンは、同僚の上級管理職から票を集めた。結果は、三人が打ち上げに票を投じたが、ロバート・ルンド一人が躊躇を示した。ルンドに対し、メイソンはこう言った。「今は、エンジニアの帽子を脱いで、経営者の帽子を被るときだよ」。ルンドもまた打ち上げに投票した。

後に、メイソンの行動は、エンジニアの関心を経営管理上の理由に置き換えたものと受け止められてきた。スケジュールや取引先との関係などを優先したというわけだ。しかしながら会議に出席した人々は、これを、技術的な不一致がある場合になされる典型的な「エンジニアリング管理」の決定だと見なした。サイオコール社のジョー・キルミンスターは次のように説明している。

部屋にいたエンジニア族の間には、明らかな意見の違いがありました。そして、意見の違いがあったときには、一人が一つの技術上の意見を言い、誰かが両方の立場からの情報を集約して判断するのです。(p.317)

サイオコール社の四人の上級経営者はみな、考えを変える理由として、元の技術的勧告で考慮していなかった事実を挙げた。それはこうだ。噴き抜けと温度の間に圧倒的な相関はないこと、侵食に対してOリングには大きな余裕安全率があることを示すデータ、そして第二Oリングによる冗長性である。

サイオコール社の立場変更の知らせは、テレビ会議の再開とともにマーシャル側に伝えられた。サイオコール社の新しい勧告と技術的根拠が読み上げられると、ハーディはマーシャルのテーブルを見回し、会議出席者たちに何かつけ加えることはないかと尋ねた。人々は黙ったままか、何もつけ加えることはないと言った。最後にシャトル計画の管理者が会議の全出席者に向けて、サイオコール社の勧告に対して何か不一致またはコメントがあるかどうか尋ねた。誰も何も言わなかった。テレビ会議は、午後一一時一五分(東部標準時間)に終了した。

結　語

このシャトル打ち上げの再検討から見えてきたものは、打ち上げスケジュールに圧迫された不届き者の経営陣が、誠実なエンジニアをねじ伏せたという広く流布した物語は、あまりにも単純だということだ。ジョイントに関して、長年にわたる意見の不一致と不確かさがあったが、テレビ会議のときまでの技術上の合意は、ジョイントのリスクは受容可能だということだった。事実、サイオコール社が決定を覆すことになったのは、優勢な技術的規準を彼らが満たせなかったからだった。打ち上げ中止の勧告、とくにシャトルの運行に対して低温時の限界を定める、多くの者が不合理だと見なした勧告を支持する十分な証拠を、彼らは単に持っていなかったのである。

われわれは今や、おそらく意図せずして、リチャード・ファインマンによって広められてしまったもう一つの考え違いを評価できる良い立場にもいる。それは、寒さがOリングに及ぼす影響についてNASAは知らなかったのだ、という誤解である。この論点は、あの運命を決定づけたテレビ会議で、ある程度詳しく考慮されたのである。NASAの代表者たちは、広範囲にわたってこの問題を研究しており、Oリングの製造者と直接話し合っていた。彼らは、Oリングの弾性が損なわれることを十分に知っていたのだが、その影響は、余裕安全率の範囲内だと考えていたのである。
シャトル打ち上げに関する困難な決定をしなければならなかった人々が直面していたのは、どちらかといえば彼らに馴染みのあるもの、つまり対立する技術的見解だった。ある意見が勝ち、他は負けた。彼らは、できる限りの証拠に目を配り、最良の技術的規準を用いて、一つの勧告を行ったのである。

もちろん、後知恵からわれわれは、彼らが行った決定は悲劇的な間違いだったことを、現在知っている。しかし、後知恵の持つ確実さを、行き先の定まらない自由の身のゴーレムの不確実さと取り違えるべきではない。助けになる後知恵の利かない不確実な世界のなかで、エンジニアは単に最良の専門家としての仕事を遂行したのである。リスクのない技術など不可能であり、技術の働きとそれが伴うリスクを評価することは、常に不可避的に人間的判断がかかわる問題なのだということを覚えておこう。

ここにはＮＡＳＡが学ぶべき教訓がある。歴史的にＮＡＳＡは、宇宙船を確実性という毛布に包み込むことを選んできた。ゴーレム・エンジニアリングのしみやにきび、傷痕やしわから覆いを取り払ってみてはどうだろうか。恐らく市民は、シャトルを、人間が成し遂げた尋常ならざる成果として価値を見出すようになり、また、あらゆるそうした冒険に本質的に潜む危うさについて何事かを学びもするだろう。宇宙探検は、技術神話などなくても、十分にスリリングなのである。

チャレンジャー号事故の技術的原因は、今日（一九九八年）でも完全に確実に判っているわけではない。低温、侵食、Oリングの噴き抜けはその一部だが、他の要因が働いていたのかもしれない。あの悲劇の一月の当日には、前例のない予想外の突風があり、密閉されたジョイントを一時的に揺さ振ったのかもしれない。現在の理解では、ジョイント・ローテーションの大きさは、実際にはNASAとサイオコール社のいずれの最良の見積もりより、ずっと小さいことが判っている。皮肉にも現在では、あまりに狭い隙間からの過度な搾り出しが、チャレンジャー号の災害の一因だったと考えられている。ゴーレム技術は雄々しい進歩を続けているのだ。

2章のすべての図・写真は、「スペースシャトル・チャレンジャー号事故大統領委員会の大統領宛て報告書」（Washington D.C.: Government Printing Office, 1986）中の文書からの再録である。

3章　衝突！　核燃料容器と霧散防止ジェット燃料の実験

一般大衆はこう言った。「まあいいだろう。けどおれたちは、これについてのあんた方専門家のお墨付きをもらわなけりゃならねぇ。……信用するつもりはないが、とにかくあんた方が何かをしてみせてくれ」。じゃあ、これでどうだね。……連中は信じるべきだ。これ以上何が要るというのだ。これで連中が信じられないというのなら、……彼らに信じられるものなど、何一つないことになるではないか。

この発言は一九八四年、当時の英国中央電力庁（CEGB）議長だったウォルター・マーシャル卿によるものである。CEGBでは、発電所から処理施設まで使用済み核廃棄物を運ぶのに、鉄道を使っていた。この燃料は頑丈な密封容器に収められていたにもかかわらず、大衆は不安がった。そこでCEGBは、ディーゼル列車を用意し、廃棄物の容器に正面から時速一〇〇マイルで激突させて、なお容器が安全である、という実験を企てた。先のウォルター卿の言葉は、この見せ物の衝突の直後にカメラに向かって放たれたものであった。この実験は、何百万という人々が、テレヴィジョンでの実況中継や、その後のニュース番組での放映で、目撃したのだった。マーシャル卿は、この実験で核燃料容器が安全なものであることが示された、と訴えているのであった（この発言内容は、この列車衝突実験の細部もそうであるが、ＣＥＧＢの広報部が作成した『衝突作戦』と題されたヴィデオ・フィルムをソースとしている）。

アメリカでは、同じ年、これに勝るとも劣らぬ見せ物的な衝突が行われた。この実験では、衝突させられたのはフルサイズの通常旅客機で、砂漠の真ん中で行われた。飛行機は電波で操縦されるボーイング七二〇で、人形で満席にしてあった。この飛行機には燃料が満載されていたが、それは普通のジェット燃料ではなく、加工が施してあり、衝撃を受けたときに空中に霧散しないように、ジェリー状にしてあるものだった。ジェット燃料に、家庭用のペンキを濃くするときに使われるのと同じ種類の添加物を混合させて、このジェリー化を造り出していた。この燃料は、飛行機事故が通常引き起こす悲惨な火災を防止し、生き残った人々が脱出できるようにする一助になれば、というもくろみで開発された。この新燃料は霧散防止燃料（ＡＭＫ）という名で知られており、イギリスのインペリアル・ケミカル・インダストリーズ（ＩＣＩ）という会社の製品だった。米国連邦航空局（ＦＡＡ）が実験を担当した。不幸なことに、この実験は期待以上に見せ物になってしまった。飛行機は火炎に包まれ、すさまじい火災となってしまったのである。テレヴィジョンのドキュメンタリー番組は事態を次のように伝えている。

この衝突実験の行われる前には、航空局は一九六〇年以降この新燃料によって人命が救われたはずの事故が、国内で三二件に上ると考えていました。しかしひどい皮肉ですが、このカリフォルニアの実験が直接示したのは、そうした因果関係を白紙に戻さねばならないということでした。もしかしたらその三二件の事故でも人命の損失を増やしていたとさえ考えられる、ということです。……去る一二月、カリフォルニアの砂漠で起こった予期せざる火災が人々に与えた恐るべき第一印象は、今後長く尾を引くものと思われます。

これら二つの衝突実験は、実験が目的とした課題に対して、どちらも決定的な答えを出してくれたように見える。核燃料容器の方は列車がぶつかっても壊れなかったし、飛行機の方はせっかくの新機軸の燃料であるにもかかわらず炎上してしまった。燃料容器の内部は、衝突が起こる前には一平方インチ当たり一〇〇ポンドの加圧がされていたが、衝突後にも僅かに〇・二六ポンド減っただけであった、と報告されている。つまり、容器の内容は全く損なわれなかったと言える。炎上後のボーイングの機体の写真は、もし機体に乗客がいれば、生存者は皆無だったろうと思わせるものだった。どちらの実験も、テレヴィジヨンという間接的な手段によってではあるが、何百万という人々に目撃された。直接見届けた人々も、何百、何千という数に上った。列車実験の方は、ある新聞の伝えるところでは、「地方行政の責任者や原子力発電の評論家なども含めて、一五〇〇人を超える人々が現場で見守った」ということになる。本ゴーレム・シリーズの最初の巻で説明したような、実験室での実験や天文学の観測などは、黒白が付きにくい曖昧なもので、幾通りもの解釈を許すものであり、あるいは本書の他の章で扱われる技術のもたらす結果にも、ある種の不確実性が残る。しかし、ここでの二つの実験では、結果はまことにはっきりしているように見える。実験は完璧に組み立てられ、十分な数の目撃者の前で実行される場合には、前書と本書を通じて縷々述べてきたような、事実は色々な角度から慎重に解釈しなければならない、という注意は当てはまらないのだろうか。多義的な解釈から抜け出す鍵は、実験を、実験室から公衆の目の前へ移せばよい、ということなのだろうか。

二つの衝突実験——技術の多義性を解決できるか

ＣＥＧＢによれば、使用済み核燃料輸送に使われる容器は鋼鉄製である。容器の厚さは一四インチほどで、蓋は一六本のボルトで締め付けられている。ボルトはどれも一五〇トンの張力に耐えるように造られている。容器全体の重さは四七トンであった。衝突実験に

写真3　核燃料容器に衝突する列車

際しては、国有鉄道の無蓋貨車に容器をセットして、線路上で横転させ、三台車両を繋いだ四六型ディーゼル機関車を、容器の蓋の端の部分にぶつけるように仕組まれた。「容器、時速一〇〇マイルに耐える」という見出しの下に、一九八四年七月一八日の『サンデー・タイムズ』は、CEGBの議長であるウォルター・マーシャル卿の「われわれが準備できる最も苛酷な条件の衝突である」という説明を掲載している。マーシャル卿は、テレヴィジョンのインタヴューで、すでに引用した言葉（一一一ページ参照）でこのイヴェントを総括し、この容器の安全性を疑う人はもういないはずだと胸を張った。

NASAはボーイング七二〇にAMKを給油した上で、「着陸に際して、滑走路が短すぎ、また路上に障害物があって、車輪が利かなくなり、そのため燃料タンクが壊れ、翼ももげ、さ

写真4　AMK 新燃料の「デモ実験」で、障害物に衝突する寸前のボーイング720

らに幾つかの発火する原因がある」という想定で実験を行った。「何百という見物人」が見守った、と『サンデー・タイムズ』一九八四年一二月二日号は書いている。「炎上防止燃料のテストのために仕組まれた衝突実験は、乗客を乗せないボーイング七二〇が一瞬にして火達磨になってしまい、惨憺たる結果に終わった」。さらに「火災は衝突の直後に発生した」と報じている。確かに衝突後すぐに巨大な火柱が走り、機体は爆発したのである。テレヴィジョンのドキュメンタリー番組『真相を伝える』では次のように報じている。「電波で誘導された機体が砂漠に突っ込んだとき、イギリスの燃料開発チームは、一七年間の努力が水の泡ならぬ火の海になってしまったのを目の当たりにしたのでした」。そして番組の解説者は次のように述べている。「最初左翼が接地し、機体は左にはずみましたが、その瞬間に火が出たのです。アメリカの政治家のお偉方はエドワーズへの訪問をそこそこに切り上げ、一般紙はＡＭＫ

が失敗したと書き立てました」。

使用済み核燃料容器は一〇フィートばかりの高さの中空の管であり、外からは冷却器などの「ヒレ状部」のように見える。この事例では、容器は鮮やかな黄色に塗ってあった。四角の蓋は上部にボルトで締め付けてあった。列車は離れたところから迫った。機関車は青に塗装され、茶色に塗られた一連の貨車を引っ張っていた。テレヴィジョンで見る限り、ことの経過はまるでスローモーションで見るようであった。この印象は、その後繰り返し放映された、実際のスローモーションによるリプレイで強化されたのかもしれない。このような突発的衝突に人間の感覚は慣れていないために、奇妙にも、この情景は見るのが極めて難しい。何がどう起こるのか、予期できないものであるし、どのような細部に目を凝らせばよいのかも判らないからである。まるで太陽を見つめようとするかのように、前もってほとんど目を細めてしまうのだ。列車は容器に激突し、すさまじい塵埃と煙と火炎とを発した。容器はその真っ只中にあった。塵埃が収まったとき、容器は飛び散った残骸の間にあった。容器のヒレの部分の一部には衝突によって損傷が見られたが、圧力テストが示したように、容器の損傷は外形的なものだけで、それ以外は無傷であった。ＣＥＧＢによって造られた広報用ヴィデオは、容器の製造過程も示しており、またこのテストの詳細を繰り返して、この衝突の結果の意味するところを強調している。

航空機の衝突の方は、文字通り観察不能なものを見ている、という感覚はより明白であった。そこにあるのは、模型ではない実物の旅客機であり、いかにも経済的価値も技術的価値も高そうなもの、あらゆる慎重な整備と管理の象徴と考えられるもの、真っ青な空の下で銀色に輝くぴかぴかの代物であった。それが砂漠の表面に突っ込むということであり、あるいはその下にはぎざぎざの刃まで埋め込んであり、主翼はちぎれ飛ぶことになってお り、まがいの滑走路が準備されているという状況である。機体はひどく痛めつけられながら衝突し、部品がばらばらにはね飛び、スローモーションで見ると、出入口の扉は引きちぎられてなくなり、次の瞬間、紅蓮(ぐれん)の火炎が渦を巻いて湧き上がり、あっと言う間に機体を覆い尽くしたのだった。遠景の撮影シーンでは、砂漠の空に巨大な黒い煙の柱が立ち上がっていた。続くクローズアップでは、焼けただれた機体、黒こげの乗客(人形)の残骸が見られた。

本章の著者(コリンズ)も自身でテストをやってみた。つまり何度も、列車の衝突のヴィデオと一連のスライドとを、色々な種類の観衆に見せたのである。そしてその人々に何か問題はないかを尋ねてみた。つまり、われわれの感覚が伝える証拠を拒否するものは何なのか、ウォルターー・マーシャル卿の主張をおいそれと受け入れさせないものは何かを尋ねてみた。ウォルター卿の解説は、まるで中古車のセールスマンの厚かましい口振りそっくりで、皮肉な感情を掻き立てがちである一方で、それを見た人々は、反対の結論を引き出すようなしっかりした証拠に逢着することはほとんどできなかった。航空機の衝突のフィルムの方も、最初のシーンからちゃんと見た人は、その実験が、例のＡＭＫという燃料が失敗したことを示している、という以外の感想は持ち得ない。ここで描いたような両義的な科学実験と技術的な収奪との間の対比は、このシリーズのなかでは何処でも明確に見出せる。しかし、もう少し突っ込んだ説明が必要である。第一に、実験とデモとの概念的な違いをはっきりさせることが必要だ。次には、これら二つの出来事を専門家の助けを借りながら再吟味することも必要になる。実験とデモとの違いという問題は、1章のパトリオット・ミサイルの議論の中心課題でもあった。

実験とデモンストレーション

このゴーレム・シリーズは、論争になるような事柄を扱っている。実験とデモが何らかの意味を持っているかぎり、常識的な技術上の人工物を利用すること、例えば自動車を運転するとか、ワードプロセッサーで手紙を書くとか、ワインやウィスキーを樽に貯蔵するとかは、技術の信頼性と予言可能性のデモであることははっきりしている。こうした事柄はうまく運ぶだろうし、そこには論争になる事柄はない。それが、こうした事柄が政治的には面白味のない理由である。どうしてことがうまく行くのか、技術の世界でどうなっているのか、知る必要はない。しかしこうした技術でも、より踏み込めば政治的に論争を呼ぶような局面を持ってもいる。ガソリン車よりディーゼル車の方が大気汚染度は強いか。現代的なワードプロセッサーのような人工的な手段を使うと、文字に対する感覚が破壊されるのではないか。いぶした樽から滲出(しんしゅつ)する残留化学物質は健康に害がないか(害があると考える合理的理由は何もないが)。つまり論争的な局面は、論争的でない局面とは違った扱いから生まれる。同じことが、実験という曖昧な言葉で呼ばれることにも当てはまる。論争的でない事柄については実験など企てない。デモで十分である。歴史的に見て、スティーヴン・シェイピンが言っているように、この二つの活動の間には明確な区別がある。

一七世紀中葉から終わりにかけて、イギリスでは言語上の区別があった……実験を「試みる」ことと、それを「見せる」こととの間に……。実験を試みることは、研究そのものに相当した。行われている実験を構成するものについての不確定なことが伴うなかで、ことを運ぶのである。見せる方は、実験を他人に見せることであって、これは通常デモと呼ばれる。……試みることは比較的私的な空間のなかで行われる行為であり、見せる方は公的な空間のなかで行われるものだった、と言ってよいだろう。

一九世紀になって、ロイヤル・インスティテューションにおけるマイケル・ファラディの操作モードを見ると、実験とデモに同じ区別があることが判る。ファラディは、実験の技術者としてはロイヤル・インスティテューションの地下で仕事をしたが、個々の新しい現象に関してしっかりと確かめた後では、二階の公衆に対する講演ホールでデモを演じた。ディヴィッド・グッディングは言っている。

ファラディの日記には、自然現象が、最初の個人的で暫定的な性格から、デモ可能な自然の事実としての客観的な身分へと移行していく様が記録されている。この移行は、視覚的には地下の実験室から二階の講演会場への移行という形で示される。私的空間から公的空間への移行とも言える。(Gooding, 1985, p.108)

デモの認証印は準備とリハーサルである。実験の場合には、それがうまく運ぶとはどういうことなのか、ということさえ、事前には判らない。実験には驚かされる可能性が付きまとう。デモは、実験によってすでに確かめられたことを人々に伝え、確信させるために計画される。それによってなされている発見は公認され、一般に受け入れられる。この段階まで来たとき、ことが見事に運ぶことを見せつけられるので、認めさせる力も強力である。優れたデモ実践家の仕事は、未知の事実を発見する能力とは無関係であって、いかに説得力ある演技を組み立てられるかと関わっている。

デモは「ショウ」に似ている。デモでは、実験そのものにおいては欺瞞と考えられるようなやり方で、視覚的な効果を強調することも許されている。例えばよく知られた爆発の講義では、気体の混合を変えたときのエネルギーの大きさを見せる。その際、混合気を牛乳瓶の中で発火させると、非常に大きな音で爆発し、もっと高いエネルギー反応が起こっているかのようである。私がこの講義に出席していたとき、牛乳瓶の中には、最も強力な混合気であるアセチレンと酸素が入っており、瓶は金属のシリンダーの中にセットされ、装置全体の上に木の椅子が覆うように置かれていた。明らかに、ガラスが壊れたときあまり飛び散らないように、という配慮だった。混合気が爆発したとき、木の椅子のシートの部分は劇的に二つに裂けた。後で調べたところ、実はその椅子は予め二つに割ってあり、視覚的な効果を高めるために、それをそっと糊付けしてあったことが判った。これが実験ならば、そうしたことは欺瞞であるが、ショウであれば誰も文句は言わないのである。デモというのは、こうした尺度のちょうど真ん中位に位置する。教室でのデモは、人間が最初に出会う科学の一端だが、それが良い例である。教師は、しかじかの「実験」は、しかじかの条件が整っていて初めてうまくいくことを知っているが、その点での情報は生徒たちには秘匿されている。

科学を一般公衆に伝える場合には、ほとんど常にデモかショウのやり方に従う。われわれが専門家でない場合には、まず学校で演壇的に設定されたデモを通じて、次にはテレヴィジョンで、ショウ的要素を伴ったデモで、科学を学ぶのが普通である。これが、科学的テストは常に明確な結果を引き出すものとして、われわれがテストの性格付けを学んだと思い込む理由の一つである。デモやショウは素人の公衆の前に適切に整えられたものである。そのテストから学ぶべきであるとされたメッセージを、感覚を通じて紛れなく受け取るように、最初からしつらえられたものだからである。しかし実験の意味は、専門家であって初めて理解できる。実験の持つこの性格こそ、ゴーレム・シリーズのなかではっきりさせたいことの一つである。最近のテレヴィジョン番組での科学の扱い方のなかには、この点をよりよく配慮したものも見られるようになった。極めて重要なことは、デモやショウと実験とは違うものであり、それらを取り違えてはいけない、ということである。

二つの公的な「実験」の例に立ち戻る前に、最後に簡単なことだが述べておく価値があると思われることを付け加える。それは、「見ることは信じることだ」(百聞は一見に如かず)は真実ではない、ということだ。もしこれが真実なら、ステージ手品師など存在し得ない。われわれはステージ上で手品師が一見超常的な離れ業を見せるとき、どうしてそんなことができるのか、タネは知らなくても、われわれの感覚に訴える証拠を信じていない。だまされていることを知っているのである。映画館で「特撮」の成果を見ているときにも、ある種の静止画写真を見ているときにも、印刷されたページの「視覚的な幻影」を見ているときにも、とにかく額面通りのものを読んではいけないようなあらゆる表現に接するときに、そのことは当てはまる。

あらためて、デモをステージ上の手品師の離れ業と対比してみると、われわれが見るものを信じるか否かは、われわれが見るものにのみ依存しているのではなく、言語的に何が語られるかということにも依存していることが判る。ちょうどウォルター・マーシャル卿のテレヴィジョンでのコメントのように。もっと細かく言えば、全体的な状況、話している人の着衣、しゃべり方や全身から受ける印象、あるいはそもそも誰が話しているのか、そうしたことが、見たものをどう読めばよいかをわれわれに伝えるのである。

二つの衝突を再吟味する

列車衝突実験の再検討

現実をなぞるように仕組むという点では、実験もデモも同じである。ある事柄をデモで示すことも、実験で示すこともできる。一方の目的のためには失敗しても、他方では成功するということもある。二つの衝突実験はこの点で同じであり、ただ様相が異なっている。列車の衝突実験は核物質貯蔵容器の強度と信頼性に関する見事なデモであった。しかし、それは同時に放射性物質を輸送する手段としての鉄道の安全性に関するあまり見事でない実験にもなった。飛行機の衝突実験は、ＡＭＫの安全性を巡る失敗したデモであった。しかし、後に見るようにそれは見事な実験でもあったのである。列車衝突のデモ的な局面に

写真５　衝突後、損傷の検査を受ける核燃料容器

関しては文句の付けようがないほどの出来であった。しかし、ウォルター卿や、その後の事業推進の資料が、核廃棄物の輸送政策に関する成果豊かな実験として、この事例を読むようにと言っていることは注目に値する。それが、そのような実験ではなかったことを理解するためには、専門家に聞かなければならない。

環境保護の圧力団体「グリーンピース」は自分たち専用の技師を雇っている。彼らの解釈は、ウォルター・マーシャル卿のそれとは違っている。彼ら自身の考えでは、ＣＥＧＢは容器が列車衝突の条件の下で破壊されないことは元々確信していたので、彼らとしてもあの実験から科学的に学ぶ価値のあるものは何もないはずだった。彼らはそれまでに自分たちで行った実験から、容器の強度に関して多くのことを知っており、容器が壊れない条件は何なのかも知っていた。グリーンピースが信頼されるべき実験をやっているのなら、CEGBもどのような条件で初めて容器が壊れるか知っていなかったとは考えられない。グリーンピースは、この特定の容器が時速一〇〇マイルでの衝撃に耐えられるかどうかは知らなかったが、彼らの見解では、この実験はデモとして見ても、一九八四年という時点での核物質の輸送に関して、あまり見るべきもののないテストだった。当時使われていた容器の大部分は、実は違った仕様であったと彼らは言う。テストに使われた見本は一四インチ厚の一枚鋼板だったが、当時CEGBの容器の大半はもっと薄手の鋼板に鉛が裏打ちされたものだった。この仕様の容器は、もっと公的な性格の少ない、準備段階での様々なCEGBの実験で簡単に壊れてしまっていた、と彼らは言う。

さらにグリーンピースは、核燃料の輸送中に起こると想定し得る最も苛酷な事故を再現したという点も否定する。彼らは、この実験は想定し得る限界よりもはるかに生温い衝突であったのであり、彼らのコンサルタント役のオーヴ・アラップ社の技師の考えでは、CEGBの関係者も、より強く造ったはずの一四インチ鋼板容器でも損傷を受けるような衝撃シナリオが幾つでも書けることを知っていただろう、と主張する。例えば、列車の衝突の後、高速ではね飛んだ容器が橋脚に激突するとか、高い橋梁から落下して下の岩に激突する、などという場合があり得る。第三に、このテストの設計は、起こり得る様々な問題を回避するように巧妙に仕組まれている、と彼らは信じている。CEGBは、このように条件を設定するだけの情報を手に入れていたのであって、それは彼らがこのデモを計画している間に、機関車を替えたりしながら、様々な事故のタイプを実験していたことから判る、とグリーンピースは言う(1)。

とくに、テストに使われた四六型の機関車は、通常使われている他の型に比べて鼻先がより柔らかいタイプだったことを、グリーンピースは問題にする。つまり衝突の衝撃は、機関車の先端によってある程度は吸収されたのではないか。また列車が衝突したときの容器への角度は、損傷を最大化するようなものではなかった、とも彼らは言う。列車車両は、それが衝突後機関車に乗り上げて、容器に二次的な損傷を与える可能性を最小限にするように、重さを調節されていた、とも彼らは主張する。容器を運ぶのに使われていた低床ワゴンの車輪は、予め除去されていたので、ワゴンが地面にめり込んで、容器にかかる圧力が大きくなるようなことは予め排除してあった、とも主張する(撮影されたフィルムの示すところでは、ワゴンと容器とは空中に吊るされており、列車が衝突した際には空中をはね飛ばされる形になっていたが、これは前進方向への抵抗を少なくする効果があったと思われる)。最後に彼らは、ワゴンと容器とは実験の線路上の終端に設置されており、地面に沿ってそれが押された際に、枕木やレールなど、その運動を妨げるようなものがないようにしつらえられていたのであり、つまり押し出された先はなめらかな地面だけで、容器の運動を止めたり、中に突き刺さったりするものはすべて退けてあった、と主張する。

グリーンピースの技術者たちの発言の方が、ＣＥＧＢの技師たちの発言よりも正確である、というような裁断をここで下そうとするものではない。私たちの関心はそこにはない。第一どちらが正しいか、判定することはできない。ワゴンの車輪が取り付けられたままでも、また衝突現場の先にもレールが続いていたとしても、なお容器は安全で無傷だったかもしれない。それを確言できるような専門性を私たちは持ち合わせていない。

その上、テレヴィジョン番組として見せられたこの衝突テストは、確かに一つの見せ物であり、興味深いものであった、とも言えるだろう。ただ、使用済み核燃料輸送に関わる政策のテストにとって、もっと大切なことが判るような真の実験を行う方法は、別に種々あったことは確かである。問題のテストは、ＣＥＧＢが容器の強度についてすでに熟知のことを示したものではあったが、容器が如何なる条件下にも安全であることを示したものではなかった。ウォルター・マーシャル卿は、テレヴィジョン番組のなかで、このテストが、ＣＥＧＢが物理的世界のある特定の小さな一部に関して十分コントロールできている、という事実を示すものだと読むのではなく、核容器一般が十分に安全なものだということを示すものとして読みとって欲しい、と視聴者に呼び掛けた。そうであれば、一般の人々は、一つの小さな事柄のデモを見せられて、はるかに一般的で大きな事柄の立証がなされていると思いなさい、と言われていることになる。

航空機衝突実験の再検討

航空機衝突実験の場合には、イギリスのテレヴィジョン番組の製作者たちが何人かの専門家にインタヴューしており、私たちの情報源もその人々である。(2) この番組は、このテストがAMKの欠陥を証明したものでなく、むしろその性能を示したものだ、という考えを支持するべく、この実験の再解釈を志したものであった。この番組では、様々な角度から撮影された写真の一枚一枚を編集し直して、連邦航空局と、AMKというジェリー状の添加物質を製造・開発したイギリスのICIの責任者たちの説明やコメントを、それにかぶせている。そこから学ぶべきことは色々あるが、なかでも、テレヴィジョンというのは必ずしもことを単純化しなくともよい、という点は大切だ。

航空機の炎上・破壊という事実にもかかわらず、この番組担当者たちは、このテストが見掛けほどAMKの欠陥を暴露したものではない、と主張した。この番組担当者たちが見出した事実を記述するために、例のデモと実験との間に立てた区別をここに応用してみよう。第一にデモ的側面を扱い、次に実験的側面を扱う。

デモとして考えたとき、このテストは炎上などはなしで、あったとしてもたかだか小さな出火程度で終わるのが理想だった。このテストの前に、古くて飛行できなくなった航空

写真6　一般向けデモに先立って行われたテスト

通常のジェット燃料を積んだ飛行機（上）とAMKを積んだ飛行機（下）の衝突場面。ともに、そりで滑走する同型の飛行機である。

機を、テストトラック上で高速で衝突させるという研究が実行されていた。この一連のテストでは、AMKに十分に効能があることが示された。公衆と、航空機業界の圧力団体とを説得するための、ショウ的実験だけが残された課題であった。ICIのスポークスマンによると、(3) 連邦航空局、NASA、ICIの三者は、テスト実施前にはAMKの効能を確信しており、テストは単なるデモだと考えていた。しかし、このデモは、計画した通りには運ばなかった。地上で無線操縦していた係官が、その無線操縦による統御機能を失ったのである。車輪を下ろして、滑走路上を滑走するはずであった飛行機は、それより前に接地してしまい、片翼が先に地面に激突した。飛行機は片側にかしいで、障害物にぶつかり、急激に停止した。翼と燃料タンクへ突入するように設置された金属カッターが、まだ回転しているエンジンの一つを突き破り、それを急激に停止させた結果、通常予想されるよりもはるかに大きなエネルギーが生まれた。それが、計画通りことが進んでいたら、とても起こり得ないような初期発火の原因となった。

もちろん、航空機事故というものは計画通りに起こるものではないには違いない。しかし、そのことで、AMKが様々な状況下の衝突で通常の燃料よりもずっと安全であることが、すでに色々なテストで示されていた、ということが帳消しになってしまうわけではない。衝突事故の大部分は、回転するタービンと鋭利な金属切断具との相乗効果が生まれるようなものではない。もし大多数の衝突事故で、人命の損傷を減らすことができるのだとすれば、AMKは利用するメリットがあるとも言えるのだ。それが想像し得るあらゆる場合に有効に働かなければならない、というわけではないのだ。したがって、実際に起こってしまったような極端な衝突事例ではなく、もっと定型的な衝突テストで、その有効性をデモすることが適切なのである。乗客が生き残ることがまるで望めないほど激しい衝突の場合に、AMKの有効性を云々することは意味がない、という点も心に留める必要がある。だからこそ、比較的激しくない衝突が計画されたこと、またその計画が妥当だったこともはっきりする（この点を、核燃料容器の事例と比較してみればよい。そこでは、放射性物質が漏れ出るような事故は、如何なる場合でも容認できないことになるはずである）。航空機衝突の事例が、デモとしてはうまく運ばなかったものだということは明白である。

デモとしてうまく運ばなかったという事実は、科学者も技術者も予期しなかったような未知の領域にことを誘った。つまりデモとして計画されたものが、実験に変わったのである。あるICIのスポークスマンは次のように言っている。「偶然によって、私たちにとって未知な要素が多数導入され、今までに全く見たこともないような出来事を観察することができ、そこから無数の有用な結論を引き出すことができた(4)」。適切に理解される限りでは、この実験は、人命を救うことができるかどうかの最もギリギリの状況でさえ、AMKがそれなりの成功を収めるものとして理解できることになる。

初期の発火は、一見恐ろし気に見えたが、与えられた衝突の性格付けにおいて予期されたはずのものよりも、より温和でさえあった。火炎は機体の表面を這ったが、客席にも操縦席にも入らなかった。最初の衝撃で流れ出したAMKは炎上しなかった。それどころか、機体に降りかかったとき、それを冷やす役割さえ果たした。

最初の発火は一秒ほどで収まった。火炎は機体の内部には入らなかったから、この発火は乗客を恐怖に陥れたにせよ、生き延びる機会は損なわれなかった。乗客たちは、最初の発火が収まった時点で、脱出できたとも考えられる。通常の燃料を積んだ旅客機が、同じ程度の衝突事故に出合ったとすると、火は瞬時に燃え広がって、乗客は脱出するチャンスをまるで見出せないだろう。

さて実験では、結局のところ機体は炎上・破壊されることになる。その主因は、開いた荷物室のドアからと、機体が一方に傾いたときにカッターによって機体に開けられた瑕（きず）を通して、燃料が機内に流入したことであった。この第二次の出火は、乗客が助かる性格のものではなかったが、それでも、乗客のすべてとは言わなくとも、その相当部分が脱出する時間的余裕をおいて発したものであった。

さらにこのテストは、別の意味でも、AMKが通常のジェット燃料よりも不燃性が強いことを示すことになった。それは、第二次の出火によって機体がほぼ完全に焼け落ちた後でも、機内と周囲には九〇〇〇ガロンに及ぶ燃料が燃えずに残ったという事実から理解できる。この番組では、この燃え残った燃料が回収される様を映したフィルムを見せたのだった。

ＩＣＩのあるスポークスマンは、この番組について次のように言っている。

結局のところ、起こった出来事を分析した結果、このテストに専門家として実際に参画した人々は、このテストが成功であったと信じている。ジェットＡ燃料（通常の航空機用の燃料）が使われていた場合に予測されるより、はるかに小規模の出火で済んでいるからである。そこには、事前には誰も全く期待しなかったような利点もあった。……ＡＭＫは機体を冷却する働きがあり、それは乗客——少なくとも一部の——が脱出することが可能になるような状況を、機内に造り出したのである。

ここで、テレヴィジョンによる実験報告は、このテストを失敗として決め付ける役割を果たしてしまった。ことを決める大切なポイントは、第一次出火と、第二次のより大規模な出火との間の時間であった。このときまだ動くことのできる乗客は、この時間を利用して、飛行機から脱出できたはずなのである。しかし、テレヴィジョン放映用に造ったときには、この場面をカットしてしまった。それは無理のないことだったが、その結果、最初の出火のシーンは、砂漠を焦がす濛々たる煙と繋がってしまった。何も起こらない間は、長く時間があっても見せるべきものはない。感覚に直接訴えるものはテレヴィジョンと同

写真7　テレヴィジョンの視聴者が見たシーン

テレヴィジョン番組から写真化されたボーイング720の衝突場面。

じではない、ということを忘れるべきでない。テレヴィジョンで見ることは、すべてレンズによって、ディレクターによって、あるいは解説者によって制御されている。「感覚の直接的な証拠」から導かれるように思える結論を、実際に制御しているのは彼らなのである。NASAテストに立ち会った一人、彼はその燃料添加物質の開発に関わった科学者であるが、このテストの持つ意味は、そこに実際に居合わせた人々には完全に明白だった、と言う。

観察地点は実際の着陸地点から半マイルほど離れており、技術センターに戻るには一時間ほどかかった。第一次出火（予想したより大規模だった）が鎮静して（九秒ほどで）、機体が無傷のままであるのを見たとき、私の周囲にいた人々（私自身も含めて）の直接の反応は、成功の一字であり、拍手が起こったのだった。

航空機衝突実験の場合、非常に幸運だったのは、通常はうやむやになる曖昧なところをはっきりさせようとする専門家たちがいて、彼らによって解説されたテレヴィジョンの復元番組を見ることができる、という点である。

もう一度確認しておきたいが、ここで私たちは、ＩＣＩの事例を、狭い専門家の解釈に押し付けてしまえばよい、と言っているのではない。そうではなくて、この衝突実験をデモではなく、実験として見ようとすれば、それを解釈するのには膨大な専門性が要求されること、そして色々な解釈が可能となること、その二点を示したいのである。何か一つの結論を優先させて選択することが目的ではない。それには関心はない。もちろん人間は一つの結論に依存して行動する。しかし、それは、私たちの言う専門性の領域ではないのである。

何をすればよかったか

デモと実験の間の区別をよりはっきりさせるためには、これらを実行するときにどのようにすればよいのか、という点を比較することも一助となる。仮にグリーンピースがことを任されたとして、彼らならデモをどんな風にやっただろうか、と想像してみてもよい。核燃料容器を破壊するに足る最小限の力が働く条件を見出すために、まずは予備実験をやってみるだろう。最高速で暴進する、先端が堅い構造の機関車をぶつけた際に、薄くて補強のされていない昔の容器の一つが、しっかり固定されたレールで突き破られるようなデモであってもよいだろう。強い熱で最初から容器が熱せられるような、トンネルの中で事故を起こさせるのも一案であろう。ＣＥＧＢの実験のおよそ六カ月後の一九八四年一二月二〇日、石油輸送貨車を連ねた列車がトンネルの中で出火した。このときは、燃料容器に対して法律上課せられる如何なる条件をも上回る温度になった。そのような火災に遭遇して、容器がひどい損傷を受けるという事態も起こり得ないことではない。少なくとも、CEGBの衝突テストでは、全く考えられたことのないような災害が起こり得ることを、この事故は示している。

もっと単純で効果的なデモをグリーンピースは考えることもできるだろう。どんな損傷が引き起こされるのか、誰も格段の警戒のないところで、核燃料容器が壊されたらどうなるか(例えばテロリストが容器に近づくことができた、というような想定である)。つまり、爆発物が容器の蓋を破壊したときに、予め分別可能なように色付けしておいた内容物が、どのくらい遠くまで、あるいはどの程度の範囲に飛び散るかを示すデモでもよい。それで、その内容が放射性物質であったとしたら、どれほどの被害が生じるかを示すことができるだろう。

このような想像上のデモのどれもが、ウォルター・マーシャル卿の打ち出した結論とは全く異なる結論を導くことになろう。使用済み核燃料を列車で運ぶことは危険である、ということをはっきり示すものとなるだろう。しかし、これらのどのテストも、核燃料を鉄道で輸送することの安全性についての「実験」とはならないし、CEGBのデモがその安全を決定的に立証するものでないのと同様、それが安全でないことを決定的に立証するわけでもない。それでもなお、色々な種類のデモを想像してみると、そうしたデモのなかに含まれている事柄が、よりよく見えるようになることは確かである。つまり、デモによって何が立証され、何が立証されないのかが判るようになる。

同じことは飛行機の衝突テストについても言える。テストが思惑通りに進むことを想像するのも難しいことではない。ボーイング七二〇が車輪を上げたまま着陸せず、機体は火炎に包まれることもなく、テレヴィジョンのカメラが炎上していない機体の内部に入っていくと、ダミー人形は無傷でにこやかに笑っているかのような画像を見せてくれる、といった具合だ。しかし、このようなシーンも幾つかの隠された問題を内包している。この衝突がことのほか穏やかなもので、非常に僅かな数の衝突でも、AMKは異なった反応を示すような余地があるのではなかろうか。ジェット・エンジンの中に注入されるに際して、まずジェリー状のものを液状に変えるために必要な特殊な機械が、衝突の原因を造ってはいなかったであろうか。二つのタイプの飛行機に必要な二つのタイプの燃料を求めている間の移行期間中に、新しい燃料が救える人命よりも、多くの人命を犠牲にするほど酷(ひど)い危険があり得るのではないか。航空機商戦の厳しいときに、会社、空港、航空機自体などを、それ相応に改装しなければならないために余分にかかる費用は、安全を別の方法で求めようとする場合と比較し得るものだろうか。第一次出火と第二次出火との間の時間が短すぎて、その間には逃げ出せる人はいないのではないか。第一次出火の際に、機内の温度が高くなって、結局はその段階でみな生命を落としているのではないか。主出火の後でも、何ほどか燃え残った燃料は常にあるのではないか。誰もが飛行機に乗れば死ぬ確率はあるのではないか。こうした疑問の分析や回答のためには、われわれが提供し得るよりもはるかに高度な専門性が必要になるのである。

結語

壮大な一般向けのショウにおいて、実験の曖昧さを解消する手段は一体あるのだろうか、という問い掛けから本章の記述を始めた。前著『ゴーレム』で触れた実験の事例でも、あるいは本書で触れる他の技術領域の事例でも、事柄への最も詳細なところまでアプローチのできる専門家たちの意見は、お互いに食い違い、論争に結果が得られるには何年も、時には何十年もかかるという有り様である。しかし、本章での二つの衝突事例では、実験をたまたま目撃した程度の一般の人々は、直ちに明確な結論に達することができた。その理由は、一般の人々が、専門家の色々なグループの間で分かれ得る様々な違った解釈の全貌に接することがなかった、というところにある。公衆は十分に情報を提供されていなかったことになる。それは、彼らが結果的に誤った結論へ達したからではない。導かれる結論がどの程度確かなのか、それをきちんと弁(わきま)えた上で結論を引き出すために必要な証拠に接することができなかったからである。ゴーレムが談合しなければならない現場に、近道はないのである。

注

（1）グリーンピースは、CEGBが初期にもくろんでいた実験プログラムについての情報の「リーク」は、CEGB内部からのものであり、あるいはこのテストを請け負ったオーヴ・アラップ社に近い技術筋からのものである、と述べている。機械工学研究所が主催した権威あるセミナーで、彼らの主張が初めて公開されたとき、ごく些細な一点を除いて、彼らの主張が根拠のないものとの立証はなされなかった、とグリーンピースは言っている（当初、彼らは、機関車のエンジンを止めておくネジがイギリス国有鉄道によって緩められていた、という主張もしていた。この点は後に撤回された）。グリーンピースの主張を裏付けるための「探査テスト」を私はしていない。私がここで、この情報を記すのは、グリーンピースによって行われた反論的解釈は専門的な方法で述べられたものであって、合理的な人間によって支持できる性格のものである、ということを示したいだけである。

（2）その番組は、『本当の世界』と名付けられた。その見事な一つの成果が、「火炎のなかで」というタイトルで、独立テレヴィ局から放映された。「火炎のなかで」は科学的証拠なるものを再解釈したという点で、極めて興味深い番組である。科学的証拠や科学的な疑問を取り扱うことは、極めて神経の要ることだが、しかし面白いことでもある。ところがこの番組は、実験やテストから引き出し得る結論が、結構幅広い多義性を持っているということについて、一般的な判断を造り上げるという仕事からは、手を引いてしまっているように見える。この番組は、最終的にはFA

Ａの見解を視聴者に押し付けてしまっている。私たちはＦＡＡの見解をそのまま是認するわけではなく、異なった専門家グループが提供する結論には色々ある、ということを示す良い材料として、この番組を使うことができる。

（3）著者との私的な交信による。面白いことに、ＩＣＩのスポークスマンは「デモ」と「実験」という言葉を説明抜きで使っている。

（4）著者との私的な交信による。

4章　ゴールドの世界　石油の起源を巡る論争

中高生は誰でも、いつかは石油の起源についての標準的な物語を学ぶことになるだろう。それはこんな風に語られる。昔々、何千年も何万年も前のこと、地球は広く海洋に覆われていた。無数の動物、植物、微生物は海の中で生き、そして海の中で死んでいく。その残骸は海底に沈み、砂や泥と混ざって海洋堆積物となった。歳月が経ち、泥土は岩に変じ、有機的な物質はその岩の層の下に深く閉じ込められた。海洋は次第に後退し、地殻が盛り上がり、そして崩れた。この広大な岩の重みで圧縮され、分解が起こり、有機物の層は化学的変化を起こし、炭化水素（水素と炭素だけからできた化合物）を形成した。それが石炭であり、石油であり、天然ガスである。

そうしてできた石油を地下に貯溜しておくには、特殊な地質学的条件が必要である。有機物は多孔質の岩に覆われていなければならず、他方、岩はガスや石油が揮発するのを防ぐために、言わば帽子の役割を果たすような不透過の層で被覆されている必要がある。したがって、石油はこうした地質学的な条件に適合するような場所にのみ見つかる。

この素朴な、神秘的とさえ言える説明は、現代の石油地質学にあっては、ずっと精緻化されたものになっているが、石油が生物の残骸から生じたという底流をなす考え方は、この問題の如何なる説明にあっても共通の出発点である。そしてわれわれは、石油が化石燃料だと言われるには十分な根拠があるということもよく知っている。石炭の周囲には大量の化石が見つかるし、石油の中に発見される微生物は、石油が有機物起源であることを証明するものと考えられている。

石油の起源に関するそうした理解が正しいと、われわれが信じている最も必然的な理由は、そこに絡む商業的な利害にあるのかもしれない。「黒い黄金」を掘り出し、それを精製することで利益を得ている巨大な石油化学産業が存在する。石油は現代の工業文明の原点にある。それは僅かな数の物理学者たちが自分のキャリアを造るためにしがみついてきた、呪術的な素粒子などというものではない。石油について語ることは、すなわち現代社会の歴史について語ることにほかならない。中央政府によって支援を受けた巨大な産業が、石油はどのように見つかるのか、石油はどこに見つかるのか、誰がそれを見つける権利を持っているのか、ということの理解を確実にしてくれる。確かに、そうした努力がわれわれを豊かにしてきたのであれば、われわれは賢明に振舞わねばならぬ。そうではなかろうか。

この地球という星の上でたった一人、それは間違っている、と真面目に考えた人間がいた。その人物の名前をトマス・ゴールドと言う。

ゴールドの世界

ゴールドによる世界というのは、われわれが知っている世界と異なっているわけではない。彼の世界でも、石油は今見つかっている場所で見つかるに違いない。いや、もっと沢山見つかるかもしれないし、もっと沢山の場所で見つかるかもしれない。ゴールドによれば、石油の起源に関してわれわれは間違っているのだ。石油は生物が変形してできたものではない。非生物学的に、あるいは「非生物起源的に」造られたのだ。地球が最初にできたとき、原初的炭化水素が、その地表の下深くに把捉された。この原初的炭化水素は、絶え間のない「ガス放出」の過程によって、ゆっくりと、しかし休むことなく、地表へと移動した。したがって、これまでに石油が発見・発掘されたのは、たまたま最も発見されやすいところまで上がってきていたからである。ゴールドによれば、他にも石油の貯溜場所はいくらでもあり、地表からやや深いところで発掘を待っている。さらに重要なことは、ゴールドによる世界では、標準的な理論によれば石油など存在しないということになっている場所にも、石油は見つかるのだ。ゴールドが正しいとすれば、石油から見放されてきた国々も巨大な石油埋蔵の上に座っていることになる。

この地政学的な意味合いは計り知

れない。

石油の非生物起源説には、長い歴史がある。一八七〇年代には、元素の周期律表の発明で有名なロシアのドミトリ・メンデレーエフが、当時優勢だった生物起源論を否定して、非生物起源論を展開した。メンデレーエフの理論は当時は結構流行になった。しかし二〇世紀地質学の発展とともに、彼の理論は信頼性を失った。一九四〇年代以降は、ほとんどすべての地質学者は生物起源論を受け入れてきた。ゴールドには公の支持者として、ごく小さな異分子グループがあるだけである。そのなかには、中国の何人かの地質学者、スウェーデンの学者、ゴールドの協力者スティーヴン・ソーター、油田探掘者ロバート・ヘフナー三世などが含まれる。

ゴールドとは何者か

トマス・ゴールドという人物の存在を確認してみよう。彼の並外れた経歴を通じて、常に彼は新しい領域へと挑戦し、古い伝統に波風を立て、その間に数え切れないほどの科学的な金の卵を生んできた。ゴールドの生まれはオーストリア。スイスへ移ってそこで物理学の勉強をした。それからイギリスへ移住し、ケンブリッジで勉強を続けた。第二次世界大戦中はレーダーの開発に関わり、その後アメリカに移った。彼の科学的な業績のほとんどすべてはアメリカでなされた。彼はロイヤル・ソサイェティの会員であり、また全米科学アカデミー会員でもある。

「磁力圏」という言葉を最初に使ったのはゴールドであり、彼の研究の初期のものはその分野でなされた。彼をより有名にしたのは、彼が定常宇宙論を構築した理論グループの一員となったときである(この理論グループのなかではフレッド・ホイルの方が知られているが)。定常宇宙論は、長らく「ビッグ・バン」理論の対抗馬と考えられてきたものである。生物物理学などが一般化するはるか以前に、彼は人間の耳が単なる受動的な器官ではないと主張した。最も目覚ましい活動は、パルサーは崩壊して中性子星になる、という見解を最初に発表した科学者だという点にある。彼が最初にこの考えを発表しようとしたパルサーに関する会議では、彼の同僚は彼に発言の時間を与えることを拒否した。しかし一年も経たない間に、同僚の方が間違っていることが明らかになり、彼のこのときの論文は古典となった。こうして様々な分野に首を突っ込んでいる間にも、彼は、彼に言わせればごく当たり前の事柄にも取り組んだ。実際、彼自身は、自分の仕事の大部分は科学の主流であって、広く受け入れられ、広く共有されており、ただ、彼を有名にしたこうした事件がたまたま主流から外れたものだったのだ、と強く主張している。一九五九年、彼はコーネル大学の教授となり、プエルトリコのアレシボに世界最大の電波望遠鏡を建設するプロジェクトの責任者となった。現在もゴールドは健在で［訳注:二〇〇四年没］、コーネル大学宇宙科学の名誉教授である。

ゴールドが科学的才能を広く評価されてきたことに疑問の余地はない。ある科学者は、ゴールドの地質学の仕事には極めて批判的であるが、次のように言っている。

トマス・ゴールドは、とにかく、想像力豊かな素晴らしい科学者だ。

(Cole, 1996, p.736)

別の一人は

トミーは、主流とは言えないとてつもない考えを数多く持っている。そしてそれらのなかの多くが、後には正しいと判るのだ。……とにかく、彼はただただ素晴らしい。

(p.738)

ゴールドは、その論争能力とカリスマ性で知られている。

実際、ゴールドを相手方に回したとき、彼と対等に論争できる者はいない。というよりも、人々がトミーと論争しようとするのだ、と私は思う。トミーは非常に穏やかな人

である。地球科学の領域一般の人々にとって、彼の議論が穏やかならざるものである、というだけのことだ。(p.738)

ゴールドの非生物起源説に懐疑的なある人物は、次のように言う。

私は、トミーが私の信じるところが誤っていることを説得できるほどに、私が正しいと信じていることを彼に説得できればよいのに、と思う。(p.738)

化石が先か、石油が先か

非生物起源論がまともに受け取られるためには、なぜ有機化合物や生物の痕跡が石油の中に見出されるのかを、きちんと説明できなければならない。そしてここが、ゴールドが受け身になるというよりは、自分の考えを積極的に主張できると考えるところである。地球微生物学、つまり地下の細菌類の研究領域は、最新の最も心躍る科学分野の一つである。およそ考えられないような場所にさえ、微生物が生きているのが見出される。例えば間欠泉、あるいは深海の排出孔、あるいは石油の鉱床などである。あり得ないほどの高温(摂氏一一五度を超える)、あり得ないほどの深さ(五キロメートルの深海)という環境で生きている。またそれらは、あり得ないほど毒性の強い環境、硫黄やヒ素の存在する環境のなかで生きている。何千メートルもの海の底にも生命はいるのだ。

こうした生命はその痕跡を残す。ゴールドはこの痕跡を、非生物起源の自説を支持するための証拠として使う。石油の中に見つかる「生物学的マーカー分子」もしくは「ホパノイド」は、生物起源論を支持する中心的な証拠の一つとして通常は使われる。では、石油自体が有機物の残骸から生まれたものでないとしたら、そうした極端に複雑な有機化合物は、どうして石油の中に発見され得るのか。ゴールドは、そうした化合物は古代の地上の生命の残存物ではなく、地下に生きていた生物圏の痕跡であって、そうした地下の生物は石油を化学的エネルギーとして利用するのだ、と主張する。たいていの地質学者は化石が石油を補給すると言うが、ゴールドは石油が化石を補給するのだ、と言うのである。

ゴールドは最近（一九九七年）、この地表深くにいる生物学的生命の理論と、火星の隕石の微生物学的痕跡が見つかったという問題の多い説とをドッキングさせている。ゴールドの理論に従えば、微生物は炭化水素の代謝を行うが、それができるのは何も地上でだけではなく、他の惑星上でも可能ということだ。彼は一九九七年のアメリカ科学振興協会（AAAS）の会合で次のような発言をしている。「地球というのは他のどんな惑星に比べても、取り立てて利点を持っているわけではない」。彼は、少なくとも一〇の惑星的な天体が、取り巻く大気圏の中に膨大な量の炭化水素を持っている、と主張する。

しばしばそうなるように、化石燃料の非生物起源論を巡る科学的論争は、「ゴールド」対「彼の反対者」という風にきっぱり二つに分かれた地質学上の争いというわけではない。他の領域も絡んでくる。微生物学者は、地球科学者に比べて、ゴールドの理論にどこか好意的であるように思われる。それは、地質学におけるゴールドの同僚のように、石油がどのように形成されたかという話題には、直接利害関係がないということもある。ある微生物学者はこんな風に言う。

彼は疑いもなく、石油に関する地球化学者の科学者共同体全体の安全を脅かしている。彼らは、ゴールドが引きずり下ろそうとしている仮説の基礎の上に、自分たちの学問全体を構築しているからである。それは極めて危機的な状態であり、またそれこそ、彼らが厳しい抵抗を示す最もありそうな理由であろう。微生物学者としての私の目から見れば、彼が提案している考え方には全く危機的な恐れは感じない。「ああ、そういう考えもあるか、できればもう少しその線で進めてみたいものだな」くらいの話である。(Cole, 1996, p.744)

ゴールド自身は、微生物学者の共同体の支持を取り付けることの戦略的な重要性を認めている。そして地質学者の群がる敵陣にランをかけようとしている。

……それは彼らを出し抜くというような意味があるね。というのも仮にこの見解が広く受け入れられて、つまりわれわれの足の下には広大な生命が広がっていることになったら、当然、石油の生物起源の議論は非常に基礎を危うくされることになるからね。いや崩壊するというべきか。だから、彼らを出し抜くことになるね。ただし好意ある観客の前で、ね。（p.744）

ゴールドのここでの戦略は、地球科学が体験した一大革命で、今までも多くの地球科学者を当惑させている革命、つまりプレート・テクトニクスを利用することである。これは、もともと諸大陸は一つの大きな陸地であったが、長い年月の間に少しずつ分かれて漂い始めた、と考えるものである。この理論は長い間無視され反対された挙げ句に、地質学でようやく受け入れられたところだった。プレート・テクトニクス論の主たる提唱者アルフレート・ヴェーゲナーは、地質学とは何の関係もない気象学者として、地質学者からは無視された。例えば、西アフリカとラテン・アメリカにおける生物種との間に共通点があることに気付いた考古学者は、ヴェーゲナーに、明確な支持を与えることができる。そして地質学者の間には不満が増大する。

ヴェーゲナーは大陸漂移説を提案することで、結局は地質学の再編成を提案したことになるし、本来は全く異質の領域と考えられてきた地球物理学、生物地理学、気象学、古植物学などを包含するような新しい領域の構築を提案したのでもある。そして、こうした学問を、脇役から主役の立場へと移し変えたのだった。（p.744）

地質学者たちは、ゴールドとヴェーゲナーの類比に神経質になっている。しかし、ゴールドの示す証拠は彼らの信じるところとなっていないし、ヴェーゲナーの場合と違って、時間が経つにつれて好意的に変わっていくような気配もない。ある石油関連の地質学者は言っている。

過去にわれわれが誤っていたという点には、まずかったという思いが去らない。だから今度も、もしかしたらわれわれが間違っているのかもしれない。だから、自分たちにとって馬鹿げて見えることでも、それを否定するには慎重の上にも慎重でなければならない。けれどもゴールドとヴェーゲナーとの著しい違いは、ヴェーゲナーには、その仮説を支持する地質学的に極めて良い証拠があったということだ。（p.737）

地質学者たちが、自分たちの正しさを確信することができる理由の一部は、岩石の多孔性と、石油に対する透過性である。地表の下深くの岩が、その上にかぶさっている岩石の巨大な重みの下にあるとすると、その岩が液体を流れさせて、地下の鉱床を満たすに至るほど、多孔で透過性があるということをどう理解したらよいのか（後に見るように、深い油田に発見される石油はゴールドの場合の本質的な部分を構成する）。深い油田には奇妙な液体（水）の流れがあることが報告されており、こうした流れが地質学的な時間を通じてどのように保存されてきたのか、理解するのが難しい問題である。

非生物起源の証拠？

ゴールドはどんな証拠を持っているのか。

石油の起源を巡る科学を考えるとき、いつも問題になるのは、証拠は非常に貧しいのに、そこから大きな結論を導かなければならない、という点である。何百万年も前に起こった出来事を、再構成してみせなければならないのである。ある意味では、宇宙の最初の数ナノ秒に起こったことを考究する方が、地球の殻深くに埋められているものを再構築することよりは容易い。人間が地球から離れて空虚な空間に目を向ける能力と、地球の内部に目を向ける能力との間には非対称性がある。われわれは、固い物質の内部を読み取るための望遠鏡に匹敵するものを持っていないし、したがってわれわれは、直に接することのできる比較的地表に近いところで得られる証拠、あるいは地下深くで起こっていることについて僅かに垣間見せてくれるような地震や火山などの証拠から、何百万年も前に起こったことを推測するほかはないのである。地震学、重力、あるいは磁力などに関するデータは、内部の観測データとともに、地球深くの内部で起こっていることを伝えてはくれるが、ガリレオがその望遠鏡をただ月や惑星に向けるだけで天空から説得力豊かな証拠が得られた、というようにはいかないのである。

ゴールドは主張する。地球が四五億年前に形成されたとき、炭化水素は固体として蓄積された。以来ゆっくりと巨大な量のマントルを通って、「放出」という過程によって、地表に向かって上がってきた。太陽系の他の惑星にも炭化水素が存在するとゴールドは言うが、それは彼にとって最も雄弁な証拠の一つとなる。われわれが知る限り、そうした惑星には活動する生物圏が存在しないのだから、そうした炭化水素は恐らくは非生物起源なのだろう、というわけである。地球上の炭化水素だけが異なった方式で形成された、とは考え難い。

これに対して地質学者たちは、他の惑星に見つかる炭化水素は概（おおむ）ねメタンである、と反論する。彼らは昔から、メタンの痕跡が火山に見つかることを知っていた。それゆえ彼らにとっては、他の惑星に見つかるメタンの起源については何も謎はない、ということになる。メタンが地球の中心近くで形成されることは確かにあるかもしれないが、メタンは粗製石油ではないのだ。

石油は地理的には一つの場所で、しかも地質学的、あるいは地形上の位置の上では異なっている場所、あるいは異なった年代の岩の場所に発見されることがしばしばある。ゴールドによれば、この点の最も簡単な説明は、同じ場所で、時間の経過のなかで石油形成条件が繰り返されたからではなく、石油がもともと非常に深い場所に存在していたからである。こうした上への吸い上げ現象は地震の原因になり得るだろうし、地震が火炎や石油臭としばしば結び付くことをも説明してくれるだろう。また石油と天然ガスの昇華現象という考え方は、石油の中に大量の金属の名残が見つかるという変則的事態や、天然ガスの中に不自然に大きな割合でヘリウム3が凝縮していることを、うまく説明してくれるのではないか。というのもゴールドの理論に従えば、そうした元素類は地殻深くに発するものだからである。

ここでも強調しなければならないのは、ゴールドの説が極めて非正統的であるという点である。アメリカ地質研究機構の地震予知委員会で高く評価されている人は誰も、地震の原因を巡るゴールドの見解を認めていない、とある地質学者は述べている。標準的な見解では、ヘリウム3はメタンなどよりははるかに可動性の高いガスであり、変則的に大量なそれが見つかっても、別に驚くには当たらないという。

またゴールドは、地質学で発言するには、その分野で必要な経験が不足していると考えられている。地質学者であれば、生物起源説を支持する膨大な文献と証拠とを即座に引証することができる。

決定的証拠の油井は見つかったか

論争は一九八五年まで決着がつかないままであった。この年ゴールドは、事態を一挙に解決することになるかもしれない可能性をはらんだ出来事に遭遇した。彼が決定的な証拠となるテストを提案したのだ。非生物起源説をテストする最も直接的な方法は、沈降が見られず、したがって石油が見つかるはずがないとされる場所に油井を掘ってみることだろう。石油がそこで見つかれば、伝統的なポパー主義に則って、石油の生物起源説は反証されたことになるはずである。石油を発見することは、他に何もなければ、最も明確な反論の証拠となる。ゴールドが言うように、それは「紛れのない事例」なのだった(Cole, 1996, p.745)。

一九八五年、ゴールドの強い勧告に従って、スウェーデン国営電力会社ヴァッテンファルは、シルヤン・リングで石油探査に乗り出すことに合意した。この地域は、スウェーデンの中部、巨大な花崗岩で覆われた、隕石落下でできた大きなクレーターのある一帯である。一九八七年の夏、「グラヴベルイ1」という一号井が掘られた。誰もが驚いたことに、黒い石油状のべとべとした物質が一〇〇リットルほど、若干量のメタンとともに上がってきた。何もあるはずがないとされた場所に石油様の物質が少量でも発見された以上、ゴールドは石油生物起源説を反証したことになるのだろうか。

ゴールドにとって残念なことだが、理論を反証するという過程は、ある種の哲学者たちが考えているほど、すっきりと行われるものではない。石油様のべとべとしたものが発見されるや、直ちに、生物起源論の支持者たちは、ここで起こったことに新しい解釈を生み出した。その油井から上がってきた石油状のものは、何のことはない、石油の精製されたもの、恐らくはディーゼル油であろう、と論じたのである。それは、掘削に際して使われる潤滑剤の成分の一つである。発見された油は、彼らに言わせれば、発掘が始まる四カ月前に井戸の中にポンプで送り込まれたものなのだ。

この油がどこから来たものか、という点を巡るこの見解の不一致は、ガス・クロマトグラフィーや質量スペクトルなどの分析方法を使えば簡単に解決できるはずだ、と思われるかもしれない。そんな難しいことは言わなくても、マッチ一本、あるいはまともな嗅覚のある人なら、悪臭があり、またしばしば火のつきやすい粗製石油と、なかなか火のつけられないディーゼル油との違いなど、簡単に判るのではないか。しかし、ゴーレム科学の場合に得てしてそうであるように、物事はそう簡単には進まないのである。分析の結果が出てみると、ギルソナイトと思われるある種の化学物質を示す印の存在が明らかになった。

これは潤滑剤のなかに添加物として含まれる成分の一つである（潤滑剤の中には、他にも石油化学的な成分が幾つか含まれている）。これを見て、地質学者のなかには、やはり石油が見つかったわけではなかった、と結論した人々もあった。ところがガス・クロマトグラフィーの分析が終わってみると、井戸から上がってきた油は、ディーゼル油のそれとは一致しなかったばかりか、通常ディーゼル油に見つかるよりはるかに高い濃度で金属の名残が見つかったのであった。燃焼テストの結果はどうだったか。少なくとも一つの報告にはこうある。井戸から回収された油は「ディーゼルよりもずっと燃えやすく、また匂いも違っている」（Cole, 1996, p.746）。残念な話だが、こんな問題が起こるとは誰も予想していなかったので、井戸の中に送り込まれる前に潤滑剤のサンプルは保存されていなかった。そこで地質学者たちは、その油が潤滑剤に由来するという彼らの見解を維持するには、またもや何か新しい解釈をひねり出さなければならなくなった。例えばこんな風である。ディーゼル油に何か化学的変化が生じたのではないか。ギルソナイトの濃縮とか、微生物の働きで成分に変化が起こったとか。

データは曖昧だった。どのシナリオの方がよりありそうか、という判断によって、どちらの結論も可能であった。すなわち、花崗岩形成の途中で自然に石油が誕生していたのか、それとも、潤滑剤が何らかの化学的、あるいは生物学的な変性効果を蒙（こうむ）ったのか。

ゴールド自身はこの最初の実験に満足していなかった。むしろ「完全な失敗」と捉えていた。彼は潤滑剤を油性のものから水性のものに変えて、再実験を計画した。「ステンベルイ1」と呼ばれる二号井が掘られた。ここでもメタンと少量（とは言っても、それなりに結構な量で、一二トンほどの石油状の泥油、もしくは八〇バレル）の石油が発見されたのである。ゴールドは、これ以上何もしなくても、少なくとも生物起源説は反証されたと考えた。

ところが、直ちにこの油に関して、生物起源論者は新たな説明を考え出した。シルヤン花崗岩帯を覆っている薄い沈降物の層が、そこでの炭化水素の起源なのだ、という主張であった。この提案は、ここでの炭化水素は地表に近いところで生成された後、次第に地下の石油貯溜層まで滲み下りたのだということを意味する。

> ポール・フィリップはオクラホマ大学の地質学者で、ダラ・ジュプ・ガス社が八〇バレルの石油を吸い上げる前に穴から抽出した「黒色のべとべとしたもの」の標本を分析した。彼は、穴から取り出された標本と、シルヤン一帯の地表近くの頁岩の中に見出される油様の浸出物とは区別できなかった、と言っている。明快な説明としては、この油は地表近くの沈降岩石から花崗岩層へ滲み下りただけのものだ、と彼は言う。
>
> （Cole, 1996, p.748）

コールはさらに続ける。

> ところがゴールドは、フィリップが物事を全く逆さまに見ている、と言う。二つの標本が似ていることと同じように「明快な説明」としては、油とガスが地表の方へ滲み上がってきたのだ、と言えるではないか。 (p.748)

この観点に関して尋ねられたとき、ゴールドはコールに対して次のように言っている。

> 連中は、そこで見つかった油とガスが、表層の沈下物層五フィートのところから、実に六キロをずっと滲み下りて花崗岩層に達した、などということを本当に言うつもりなのだろうか。私にとっては、全くのたわけとしか思えない。土壌五フィート、それから地下六キロの稠密(ちゅうみつ)な花崗岩というものを考えてみるだけでよい。地表五フィートのところでできたメタンが、水を求めて六キロをじわじわと下りていくだなんて。完全なナンセンスではないか。 (p.748)

生物学的な活動を示す証拠も見つかった。とくに油井から得られた磁鉄鉱のパテ様物質がそれである。ゴールドは、この沈積物は非生物起源的な石油を食べて生きており、また鉄を磁鉄鉱に還元するような、地下深部に住むバクテリアの存在を示すものだ、と解釈した。

彼の批判者は、この生物学的な物質に対して異なった解釈を与えた。それは、油井が地表から汚染されていたことのもう一つの証拠だというのである。彼らのパラダイムのなかでは、微生物がゴールドの言うような地下深部で生き延びることは不可能であって、したがって、ここであり得る唯一の解釈は、それが地表からの汚染の結果であるということになる。つまりその油が、地表から滲み下りていったことの証拠だと言う。こうした汚染が起こったのか否かは、油と微生物に関してどのような理論に依拠しているかにかかっている。ある微生物学者は次のように述べている。

この話は、どうも二重の形になっているようだ。この汚染が起こらないようにできて、その上で非常な高温と非常な高圧の地下深くで、何か標本が見つかれば、そしてその標本の中に微生物が見つかれば、微生物が地下深部にも生きていることとの良い証拠が得られたことになるだろう。この汚染がうまく処理し切れないままに、探している結果が得られたとすると、つまり、高温・高圧下に生きる微生物（たぶん嫌気性だろうが）が見つかったとすれば、そのときは、必ずしも地下深部から滲み上がってきたという結論にはならないだろう。その標本を得ようとして、錐穴をポンプ・ダウンしているときに使った液体に由来していることだってあり得るだろうし、そうであれば結局は汚染に行き着くからである。そしてわれわれには、この種の曖昧さというのは、いつでもある程度は免れられない。したがって、それができるとして、最終的にチェックするための方法は、次のようなものだろう。単離した微生物、つまり単離できる微生物はすべて判ったとして、それらの単離された微生物がそうした標本の中に存在していることに十分な意味が与えられるかどうか、ということだろう。そして、標本を取り出した環境について多くのことを知らなければ、それはできないだろう。(pp.748-749)

これは「実験者の悪循環」とでも呼ぶべき事柄である。微生物の活動が地下深部に存在していると信じている場合には、それに見合うだけの実験が遂行されたということが、その証拠になる。微生物の活動がそのような深部では不可能である、あるいはとてもありそうもないと信じている場合には、微生物の活動という証拠は、その実験を疑わせる証拠となる。実験だけが物事に決着をつけるわけではないのである。

噴出井が欲しい

究極的実験に関するゴールドの見解は簡潔である。彼は、自分がしなければならないことはしてのけた、と信じている。つまり生物起源説の誤りを立証した、と信じている。地質学者の立場からしても、ことの決着はついたということになる。彼らによれば、ゴールドには公平なチャンスが与えられたし、その上で彼は自説を立証できなかったのである。

批判者にとって、もっと決定的なのは、科学的議論を強調する商業的な議論である。結局のところ、ゴールドが噴出井を提供できなかったということこそ決定的なのである。最終的な分析では、その事実は彼の科学が正しいことの抗（あらが）い難い証拠となるはずのものである。そしてゴールドは、ここでディレンマに逢着する。油井を掘削するというのは、極めて費用のかかる実験である。スウェーデンは石油資源を持たず、また環境問題への批判から原発計画を縮小しなければならない状況にある。そのスウェーデンから支援を取り付けるためには、ゴールドは、ある程度商業的に成り立つほどの量の石油を発見し得るという期待を約束しなければならなかった。ゴールドはコールに次のように言っている。

> シルヤン地帯の構造は、どんな基準に照らしても大きなものである。面積から言えばクウェートに匹敵する。だから誰かが「あそこでどの位採れると思っていますか」と私に尋ねたら、「そうですね、クウェートがもう一つ位見つかったと思えばいいんじゃないでしょうか」と答える。それがあそこを選んだ理由だし、それにもちろん、貧乏な国に頼むよりは裕福な国に頼んだ方が……。
>
> （Cole, 1996, p.750）

しかし、どれほど裕福な企業家であっても、科学的には大変重要な意味を持つ量だけしか採れないような井戸を掘りたいとは思わないだろう。商業的な利益の上がることを期待するはずで、その点こそゴールドができなかったことなのであった。

興味深いことに、地質学者たちは、証拠の基準をこのようなところへ持ち込むことを、商業的な量の問題からではなく、非生物起源的な炭化水素の存在をある程度は認めるということによって、支持したのである。コーネル大学の石油地質学者ウィリアム・トラヴァースはこう言っている。

火山に由来するメタンが存在する以上、結晶化した岩石からメタンが少量発見されたからといって驚くことはない。それが初期メタンであって、最初からそこに存在していた、という可能性もないわけではない。しかし、そのことと、それが大量に、つまりスウェーデン一国のエネルギー需要を賄える位の量となって生産され得る、ということとは違う。そうした岩石から、かなりの量のガスが抽出できるということはあるだろう。ゴールドの理論が正当なものであるためには、私の言い分では、石油はともかく、メタンが十分な量発見されることが、最低限必要である。そうでなければ、彼の説は私たちにとって、とるところがない。これまでにすでに得られた知識以上のものではない。私たちが信じることができないのは、私たちが信じていることが正しくないとしても、とにかくそれなりの量が見つかる、岩石から十分な量が見つかるということなのだ。これまでに見つかったと称される量では、何かが立証されたことにはならない。これまでに見つかったものでは、彼の理論が立証されたとは言えないし、ましてや、スウェーデンのエネルギー不安が解消されるわけではない。（p.751）

噴出井を見つけられるというゴールドの約束を人々に思い出させることによって、彼の批判者たちはステンベルイ1の結果を退けるもう一つの手を得たことになる。しかしゴールドは、この批判を受け流す巧みな方法を編み出した。彼は部屋掛のメイドの身籠った赤ちゃんの話を持ち出す。その家のドラ息子が、そのメイドの赤ちゃんの父親であることを告白せざるを得なくなったとき、その息子は、「ああ、だけどこんなちっぽけな赤ん坊だよ」と言ったというのである（Cole, 未発表）。さらに、仮にゴールドの発掘したのが噴出井だったとしよう。そのとき地質学界がそれに対してどんな反応を示すか、その点も想像がつく。明らかに、その特定の噴出井が、生物起源的に造られた石油に由来するものだ、という理由を日ならずして造り上げるに違いない。

実際に、ある地質学者は、ゴールドがスウェーデンで発見したことに対して商業的な関心が欠けていたということこそ、のっぴきならない証拠だと考えている。その地質学者の指摘によると、八〇バレルの「ショウ」（井戸から検出された石油の最初の検体を指して、彼が使った言葉である）は、試掘井を掘るためのかなり有力な発見と言えることになる。通常は、こうした「ショウ」は大きな関心を生み出し、その周辺地帯の地権は、たちまち試し掘りをさらに行うために買い占められるはずだ、というのである。シルヤン・リングではこうしたことが全く起こらなかったということこそ、石油が見つかったというゴールドの主張の正当性に疑問を投げ掛けるものだというのが、その地質学者の感じたところだった。物事の立証のための、こうした商業的な基準は、科学的な基準とは異なった方向へ向かうことが、この例で判る。科学的に見れば、八〇バレルの石油というのは、どう考えても決定的であって、この点から言えば、ゴールドは石油を沢山発見し過ぎたということになろうか。つまり彼が発見した石油がもっと少量であったならば、直接的な商売の関心が欠けているということが、それなりに意味を持ったのでは、という理屈立てがあり得るのである。ゴールドが石油を発見したにもかかわらず、商売の観点からの関心を惹起しなかったということは、彼の発見にどこか疑わしいところがある、ということを示唆しているのだ。実際、この同じ地質学者は石油産業につきものの詐欺師の伝統について指摘した。つまり詐欺師たちが、八〇バレルを井戸に流し込んでおき、名門大学の教授とその非生物起源論とに対してそれなりのユーモアを発揮したのではなかったか、というわけである。

いずれにしても、地質学者たちは、自分たちの理論と石油の商業的利用との間の関係を強調することによって、山師たちが実際に石油を発見する方法に人々の注意を向けさせるというリスクを冒したのであった。多くの石油山師たちは、自分たちの成功を科学ではなく、技に依存するものだと述べてきた。実際のところ、世界の石油供給源の一つ一つは、地質学的な知見とはあまり関係のないところで発見された。サウジアラビア、東西テキサスの大油田は、標準的な地質学の方法を使って発見されたものではなかった。石油山師たちは、その成功の根拠を、科学に求めるのと同じほど、勘に求めている。サウジアラビアにおける最初の石油利権を獲得したフランク・ホームズは、「指導的な石油地質学者の誰もが、アラビアには石油は〝ない〟と一致して判断していたにも拘わらず」、自らの鼻こそが彼の地質学者であった、と述べている (Cole, 1966, p.753)。試掘井を掘ってみる人々は、科学や産業の世界の専門家の意見を無視する人々として知られている。彼らは、一八八五年には、ミシシッピより西で産出した石油ならみな飲んで見せると約束し、また石油供給は間もなく枯渇すると予言したスタンダード石油社長ジョン・アーチボルドを、しばしば引き合いに出す。

ゴールドの主張によれば、石油地質学者は、一つ当たった井戸からまた別の井戸へと渡り歩くという間違った線を辿(たど)って、埋蔵地帯を探そうとする。山師たちが実際にしていることは、埋蔵されていると思われる岩石層よりはるかに深いところに位置する石油生成構造を闇雲に追いかけているだけだ、というのがゴールドの意見である。

ある地質学的な地層から別の地層まで長い地層線の流れがあり、しかもそこには石油があり続ける、というような実例を数多く挙げることは可能である。油井探し屋たちは、そのことを知っている。だが何故だかは知らない。そして多くの場合、彼らは「ええと、何故そうなのか、ということには関心はない。理由を探索することは、われわれの役目じゃない。知っているのは、それが石油探しの方法の一つだということであり、だから、ただそうすればよいのである」と言うのだ。 (Cole, 1996, p.754)

ここでも石油地質学者は、石油地層の新しい発見の根拠として、個々の科学的な手続きを指摘することで、ゴールドを論難する。また、彼らにとっては無意味としか思われない「地層線の流れ」などという表現を使うことを非難する。彼らは、ここでもゴールドは間違っており、現代石油地質学とそれに付随する技術とは、一九世紀に戻らなければならないような方法よりは、はるかに優れた石油層発見の方法を提供してくれている、と主張する。

ゴールドは、スウェーデンで油井を掘ったダラ・ジュプ・ガス社が破産したという理由でも、多くの批判の砲火を浴びることになった。つまり、資金をいい加減な企てに投資することに荷担した、という非難を受けた。ゴールドはこうした非難に対しては鋭く拒否したし、コールがこの件を巡って行ってきた調査のなかで面接した地質学者たちは、そういう非難は噂の段階を出ないという慎重な言い方をしている。しかし、経済的に得るところがなかったことが、ゴールドの地質学者との戦いで不利に響いていることは間違いがない。ゴールドは、地質学者の同僚たちが引き出しかねない結論に対して、怒りを見せる。

> 科学者という仕事についている者が、この種の正真正銘のいんちきに関わり合ってその評判を落とすのは、などと考えることは、およそ馬鹿げている。(Cole, 1998, p.13)

彼はまた、石油企業のために働く地質学者たちに対して、あなた方こそ自分の経済的な利益を優先しているではないか、と指摘している。

> こんなことが想像できるだろうか。例えば三〇年にわたってエクソンにここを掘ったらよいと勧めて、巨額の資金を投入させてきた地質学者が、会社幹部のところへやってきて、告白するのだ。「まことに申し訳ないことでしたが、ここ三〇年というもの、私たちは間違っておりました。石油を見つけなかったわけではありませんが、もっと別の方法でやっていたら、今までの一〇倍もの石油を見つけていたはずでした」。こんなことが起こるとは想像できない。(Cole, 未発表)

最も熾烈な論争が起こったのは、米国地質調査所（ＵＳＧＳ）が石油に代わってよりクリーンで、より廉価と思われる天然ガスの使用を推奨する報告書の作成に、ゴールドが加わったときであった。ＵＳＧＳの地質学者デイヴィッド・ハウエルは、天然ガスの起源に関するゴールドの理論を聞いて、ゴールドに、この報告書にその点についての論文を寄稿するように勧めた。ところが、八人中三人の編集委員が、ゴールドの論文が載ることはこの研究の信頼性を損なうと抗議して辞任する、という騒ぎになってしまった。最終的にはこの報告書はそのまま刊行されることになったが、怒った地質学者たちは抗議の回状を発表した。そのなかで、彼らはスウェーデンにおける財政上の不都合を再び槍玉に挙げ、ＵＳＧＳに対して、この報告書を世界の図書館から回収するように求めたのだった。この騒ぎにハウエルは酷くショックを受けた。

> 私にとって最大の驚きは、多くの大学教授たちが、この報告書を回収すべきだという例の回状に署名したことだ。これでは焚書ではないか。今の世に焚書をせよ、と言うとは！
>
> （Cole, 1998, p.13）

ハウエルはまた、ゴールドが過ちを犯したという非難の合唱には、割り引くべき点があると考えている。彼にとっては、そうした批判は石油業界寄りの人々自身にそのまま返ってくるのでは、と考えている。

では一体、石油業界はここ一〇〇年というもの何をやってきたか、と私は考えた。石油探査の歴史を読んだことがあるだろう。その歴史は、ペテン師や奇矯な考えに取り付かれた連中が、一儲けを狙い、井戸を掘り、そして時には一山当てるという話で埋まっている。そして、石油が出てこないことが判っていて、ただただ税金対策のために掘られた井戸も多々ある。これが石油業界の裏面なのだ。それがこうした反応をするとは！

（Cole, 未発表）

同僚の行動に関するハウエル自身の説明は、ゴールドが、石油探査に年間巨額の投資に狂奔してきた石油業界の信頼性を僅かなりと疑ってもよいことを示している。ハウエルが正しいか否かは別にして、ここではっきりしていることは、科学的信憑性について通常なされる議論に、商業的信憑性とでも言うべき議論が並行してしまっている、という点である。簡単に言ってしまえば、ゴールドの非生物起源理論とその妥当性如何という問題は、石油探査に関する政治と経済とに抜き難く結びついているのである。彼の主張の妥当性を「純粋」に検討するための中立な場所は存在しないことになる。

この事例の極めて特異な点は、油井探査のような巨大で、膨大な資金力の必要な技術の問題が、先端科学研究ではより一般的な議論、つまり専門的な細々とした議論のやり取りになりがちだというところにある。実験者の悪循環は油井にも当てはまる。そしてそれは、石油地質学者にとっては当然のことだろう。油井を一つ掘るということは、どう見ても、一つの実験を組み立てて実行することに近いからである。この事例は、すでに扱ったパトリオット・ミサイルの章と同じで、応用科学と技術に関する一つの側面を見せてくれている。技術の細かい組み立てを決めるときの不確定さや、解釈上の判断が、表面に現れてきているのである。

ゴールドが正しいか否か、私たちには判らない。確かに大部分の科学者は、彼が間違っていると考えている。しかし、はっきりしていることがある。それは、このような事例では、科学的な異端と思われる側への反対票がどれほど積まれても、最終的結論はおいそれとは出ない、ということである。

最後に、この論争において、どちらの側に対しても、純粋に妥当性を結論させるような中立的な土俵は存在しないことが示されたことを指摘しておこう。ゴールドの批判者にとって、実験者の悪循環は、商業的な考慮を払うことによって、幕を下ろす。つまり、ゴールドは噴出井を見つけられなかった、というわけである。しかし他方、ゴールドの側では、石油山師たちが活躍するような実践の世界において、通常の生物起源説の果たすべき役割に疑問を投げ掛けることができた。立証という仕事は、科学と技術との間を揺れ動くだけである。ゴーレム科学・技術に残される不確定さは、科学と技術との間の区別できない境界を行ったり来たりすることで、のっぴきならないままになるのである。

5章　快適さと歓びの知らせ　七賢人と経済学

第二次世界大戦の直後、ロンドン・スクール・オブ・エコノミクス（LSE）に勤めていたニュージーランド出身のエンジニア、ビル・フィリップスは、ある経済モデルを作った。このモデルの素晴らしさは、それが水力で動いていたことである。フィリップスのモデルは、タンク、バルブ、ポンプ、パイプ、隔壁、そして水槽の集まりから成っていた。たとえば、出力側の断面積を一定に保ちながら、ある水槽への流れを増加させると、水槽中の水位が上がる。新しい水位は、もう一つの水槽への流れを増加させ、その水位を上げたり、バルブを動かして、他の場所の流れを制限するのに十分な量に達したりする。高さは約二メートル、重さは一トン近くに達し、水が漏れたりさびがついたりしがちな全体は、国民経済の所得の流れを表現していた。水位の変化は、物価指数や貯蓄、国民総生産などの経済動向の尺度を示す目盛り表示に結びつけられていた。さらには、このゴボゴボ音を立てる怪物同士を結びつけて、二つの国民経済の相互作用や、国民経済と残りの世界全体との相互作用を表すこともできた。フィリップスの経済の水力学モデルは、最近復元され、ロンドン科学博物館で見ることができる。

今日では、水力で動く経済モデルを組み立てようなどと夢見る者は誰もいない。今ならコンピュータを使い、諸関係は、相互作用する数学の方程式で表現されるだろう。コンピュータと方程式を使って、かつて配管工事で造られたものよりも、より多いパイプやタンク、バルブを持つものと等価なモデルが作れるのだ。これはマクロ経済学のモデラーたちがやっていることである。彼らは経済モデルを作るために方程式を使う。理論的に導かれた諸関係だけでなく、あれやこれやの変化がどのように過去の経済に影響を及ぼしてきたか、それを観察して得られた諸量を用いてモデルを作っている。現代のモデルは、巨大な樹状構造にまとめられた何百もの方程式と変数から成り、国際金利から売買や消費意欲のレベルまで、ありとあらゆるものを表現している。ある方程式の計算結果は、他の方程式の変数となり、それらの効果が他の方程式にも及んでいく。もしも現代のモデルをフィリップスのように水力学的に組み立てたならば、LSEとその界隈に洪水をもたらすのに十分なくらい大きくなってしまうだろう。

フィリップスのモデルそのものは、一九三〇年代にパイオニアとしての仕事を成し遂げた高名な経済学者、ジョン・メイナード・ケインズの数学的アイデアを部分的に実演したものだと考えられる。如何なる点から見ても、その実演は見世物としても技術的にも成功だった。人々は水の流れを見ることができ、偉大な抽象的思考の主のアイデアを視覚化することができた。しかし一体何が、現代的な経済モデルの成功に数えられるのだろうか。一つには、経済的相互作用に関する一組の抽象的なアイデアを取り上げ、それを理解しやすくすることがあるが、今後数年間のイギリス経済で何が起こるかを予測することは、それとは別のことだ。成功の規準は非常に異なっている。ある種類の成功は、しばしば違う種類の成功を約束するものと見なされるが、実際そこには何の結びつきもないのである。

マクロ経済モデルは何からできているか

マクロ経済モデルの個々の方程式は、ある変数を他と関係づけている。たとえばある方程式は、個人消費が所得の増加に、ある仕方で関連していることを示している。とても単純な場合には、所得が三倍になれば、消費が二倍になり、残りは投資に振り向けられるという具合にだ。実際には、どれだけの余剰所得が支出に回されるかは、他の多くの要因に依存するだろう。たとえば、それは、富める者と貧しい者との間で余剰がどのように分配されるのかに依存し得る。もしもあなたが飢えていて、所得が三倍になれば、すべての余剰を直ちに食費に使うだろう。もしもあなたがとても裕福なら、所得が三倍に増えても、自分の消費パターンが特別変わることはないだろう。つまり余剰所得が低所得層に偏って分配された場合には、高所得層に振り向けられた場合よりも沢山の余剰消費がもたらされやすいのである。国民消費における変化は、未来に対する意欲の集合的レベルにも依存している。人々の一般的傾向は「消費せよ、消費せよ、消費せよ」だろうか。それとも「雨の日のために蓄えを何かしておこう」だろうか。それらすべての関係が方程式の中に表現できる。方程式は他の方程式に依存し、それもまた他の方程式に依存し、……以下同様である。

「消費せよ、消費せよ、消費せよ」と「雨の日のために蓄えをせよ」の対比を例にすれば、個人消費支出Cが所得Yの三分の二であるならば、それらの関係は方程式「$C = 0.67Y$」となる。これは「おもちゃ」のような例でしかないが、簡単な現代のマクロ経済モデルから選んだ、同じ変数を含む本物の方程式がこれだ。

$$\log C_t = 0.628\log(C_{t-1}) + 0.315\log(C_{t-2}) + 0.165\log(\mathrm{RPDI}_{t-1}) - 0.0879\log(\mathrm{RPDI}_{t-2})$$
$$- 0.00365\,\mathrm{RLB}_{t-1} + 0.00161\,\mathrm{RLB}_{t-2} - 0.225\,\{\log(\mathrm{PC}_{t-1}/\mathrm{PC}_{t-2}) + 0.0057\}$$
$$- 0.0111\,\{\log(\mathrm{PC}_{t-2}/\mathrm{PC}_{t-3}) + 0.0057\} - 0.196$$

C＝個人消費支出、t＝時間、RPDI＝実質個人可処分所得、RLB＝利率の計量、PC＝物価指数

この方程式は、期間tの消費が、それ以前の期間での他の多くの事柄と、どのように関

係しているかを示している。

このような方程式が重要なのは、たとえば所得が増えると消費が増えるということは難なく理論化できるように、一般的な関係性はマクロ経済理論の対象になるが、方程式の中の数値は、過去にどのように物事が起きたかを見ることでしか得られないからだ。それらの数値は、現存するデータから得られねばならないのだが、データは足りないかもしれないし、不正確かもしれない。さらには、違うデータ一式を用いれば、方程式も違う容貌になるかもしれない。ロバート・エヴァンズによれば、彼がインタヴューしようとしていたあるチームが、彼らの作ったモデルで問題のあった方程式において、データのサンプル期間を一九七三年ではなく一九七〇年までに延長したところ、「見栄えが良くなった」ことを発見したという。さらにマンチェスター大学での研究によれば、サンプル期間が肝心であるだけでなく、データの「収穫時期」もまた重要であるという。つまり、いつの期間であれ、過去に経済で何が起きたかについての定量的情報は絶えず更新されるために、異なる収穫時期のデータは、非常に異なる方程式を示唆するのである。

経済学者たちは、どの方程式を自分たちのモデルに入れるべきか、どんな形にすべきか、他の方程式とどのように関係づけるべきかといった判断も行わなければならない。吟味すべき方程式は数百もあり、この判断は、科学に関する通常の考え方が奨励するほどには「理論」と「勘仕事」がかけ離れていない領域に属している。

モデルが用いられる状況に関する情報も必要だ。つまりモデルは、モデル自体が生み出したわけではない経済の状態に関する情報も利用しなければならないのである。いわゆる「外生変数」である。簡単な例を挙げれば、イギリス経済のモデルは、人口に関する数値と人口増加に関する数値を必要とする。過去を表現しているモデルでは、現存するデータを利用できるが、それらデータは常に信頼できるわけではない（たとえば人口の場合なら、イギリスの国勢調査には最大一〇％の誤差がある）。予測が行われるときは、モデル化を開始する前に、将来の外生変数の値を見積もらなければならない。これが示している問題点は、簡単に理解できる。つまり、外生変数には世界経済の状態や原油価格、まだ決定されていない政府の政策等々が含まれており、これらすべてをモデル化するのは、一国の経済のみの場合よりもはるかに複雑になりがちなのである。

　このような不確実性のいくつかは、部分的には統計テクニックを使って対処できる。ある方程式の計算結果は、確定した値を持つのではなく、ある範囲での確率的な値を持つ。たとえば、「所得がxならば消費は$0.87568x$である」と表現するのではなく、より正確には「消費は$C-n\times10^6$から$C+n\times10^6$の間になるだろうと、九五％の信頼度で主張できる」と表現する。データが過去にどのように振る舞ったかの知識に基づいた「統計誤差」を計算する、よく知られた統計手法がある。この手法から、この誤差範囲に対応する「エラー・バー」を引くことができる（グラフ上で、点が置かれる範囲を示す縦線または横線で点を引き延ばしているため、このように呼ばれる)。場合によっては、すべての方程式に属するすべてのエラー・バーをまとめて、モデル全体の一本のエラー・バーの見積もりを試みることもできる。けれども、これから見ていくように、よく判っている統計パターンを持つ誤差しか考慮していないために、この手法ですら本当の誤差を過小評価している。そして不幸にも、この過小評価された値さえも、あまりに誤差が大きく、政府の政策にとって使い物にはならないのである。

七賢人とそのアイデア

政治家や実業界のリーダー、投資家たちは、一%かそれ以下の大きさの経済指標の動向に関心を持っている。経済政策や投資選択に関する限り、三%台の成長は、二%台の成長と著しく違う。インフレーションも、同じくデリケートな尺度だ。政府は、その経済政策の潜在的な影響力を把握し、適宜、政策を練り上げるために、経済予測をしなければならない。政府は、たとえば金利を〇・五%上げたら、何が起こるかを知りたい。これは消費意欲に致命的なダメージを与え、経済を不況に追い込んでしまうだろうか、それとも懸念されるインフレ傾向を解消するのにちょうどよい上げ幅だろうか。一九九二年に惨憺たる形で終わった欧州為替相場メカニズム(ERM)へのイギリス保守党政権の一時的な関心は、このようなコンマ数％規模の見積もりの誤りに基づいていた。

もしも経済予測に科学的方法があったならば、政府にとって好都合だっただろう。過去の経済指標の動向を、コンマ数％規模で「遡及的に言い当てる」モデルを作ることは難しいことではない。この程度ならば、ほとんどのマクロ経済モデルは等しく有効だ。簡潔に言えば、ほとんどすべてのイギリスのマクロ経済モデルは、過去を遡って説明することには有効なのだ。未来を予測する場合にも、それらはすべて、成長率の変化を〇％から三％の間に予測する点で「同じ」である。しかしほとんどすべてのモデルは、この範囲内で大きく予測が食い違うという点では「異なっている」。そして、それらはほとんどいつも、ほぼ間違っているという点でも再び「同じ」だ。間違った規模で変化を予測したり、あるいは変化の方向性すらも間違って予測してしまうのである。さらに悪いことに、結果を正しく予測できるようなモデル予測値は、ほとんど常に「異常値」なので、すべてのモデルの平均値を求めても、正しい結果は期待できない。

図４は、『エコノミック・アウトルック』誌掲載のブレルとホールの論文（Burrell and Hall, 1994 p.31）からの引用で、一九八四年から九二年までの実際の経済動向（太線）と比較したさまざまなモデルの成績を示している。見て判る通り、これらのモデルは、産出量に見られる大きな変動を予測し損なっているし、一九九〇年以降の結果の落ち込み（〇％より下の太線部分）を予測したモデルは一つもない。

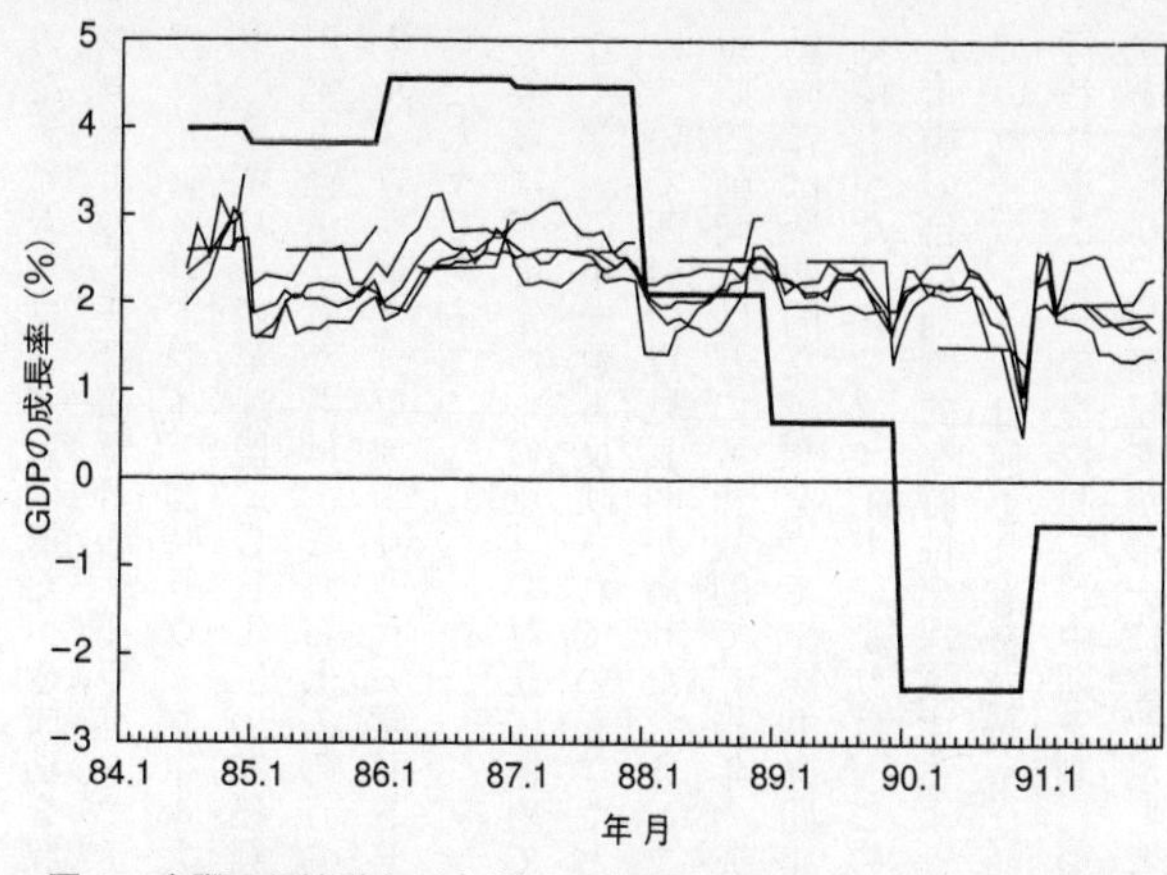

図4　実際の経済動向（太線）と比較したさまざまなモデルの成績

計量経済学モデルのこうした成績（また恐らくは、将来の失敗に対する共同責任）にもかかわらず、一九九二年のイギリス保守党政権は、科学的な経済占い師たちを委員に任命した。「七賢人」の名で知られるようになった彼らは、イギリス経済の短・中期予測を行うことになっていた。彼らは一年間に三回会合し、互いの成果を論じ合い、当時の大蔵大臣ノーマン・ラモントに報告書を提出した（委員会は、ゴードン・ブラウン大臣によって一九九七年五月に解散された）。

最初の七賢人は次の人々だった。当時、国立経済社会研究所所長のアンドリュー・ブリットン、ロンドン・ビジネス・スクールのデイヴィッド・キューリー、信望あるシティー・オブ・ロンドンの企業で働いていたティム・コンドン、驚くべき成功を収めていたゴールドマン・サックス・インターナショナルの主任経済学者のゲイヴィン・デーヴィス、一匹狼のケンブリッジ大学経済学教授ワイン・ゴドレイ、当時リヴァプール大学の特異な経済学者のパトリック・ミンフォード、イギリス産業連盟（CBI）の主任経済学者のアンドリュー・センタンス（以降に引用する経済学者たちは、これら七人のうちの何人かに、ヘンリー予測センターのポール・オルメロッドと、ウォーリック大学ESRCマクロ経済モデル局のケン・ウォーリスを加えた人々である）。

彼らは、自分たちの意見の対立に極めて率直であり、報告書には、結論の不一致だけでなく学説の不一致も反映されていた。たとえば一九九三年の最初の報告書では、経済動向について四つの意見表明があった。ミンフォードは自由市場の熱心な信奉者だった。彼は短期的動向にはとても悲観的で、当年の成長率はわずか〇・二％だと予測したが、中期的動向には楽観的な予想を立て、一九九四年は三％、その後の数年間はそれ以上の成長率を見積もった。ミンフォードによれば、この楽観的なシナリオは、政府が、労働市場も含めた市場の自己制御的な特性を保護するよう、すべての市場介入を方向づけることにかかっていた。コンドンは何よりも金融政策に関心を持っている。彼も、「敏感な」金融政策が行われることを前提にして、中期予測について楽観的だった。ゴドレイは根本的に異なる立場をとり、国際収支が第一に重要だと考えている。彼は、もしもイギリスの輸出を輸入に対して増やすような対策が講じられなければ、短期・中期・長期のいずれも悲観的だと考えている（コンドンは、国際収支の赤字が問題だとは見ていない）。他の四人の経済学者たちは、イギリス経済はその能力以下の生産しかしていないと考えているが、ミンフォードとコンドンの楽観的なシナリオもゴドレイの悲観的な見通しも、さまざまな見方のなかの両極端だと見ている。

より詳しい数値は、委員会が提出した報告書の後ろにある表から得られる。たとえば一九九三年二月、委員会は、その年に見込まれる国内総生産（GDP）成長率とインフレ率の予測を試みた。GDP成長率の予測範囲は、ミンフォードの悲観的な〇・二％からブリットンの楽観的な二・〇％まで広がっており、その間に〇・五％、〇・七％、一・一％、一・四％、一・五％が散らばっていた（図5）。このときの実際の結果は二・〇％だった。インフレ率予測では、センタンスの三・一％からゴドレイの四・八％の範囲の中に三・五％、三・六％、三・八％、四・〇％、四・六％があったが、実際の結果は二・七％だった。そういうわけで、GDP成長率の最も良い予測をしたのはブリットンだった。経済モデルの科学にとって不運だったのは、インフレ率については下から二番目に悪い予測をしたのもブリットンであり、結局は誰も、政府が必要とした情報に十分近い水準の予測ができなかったことである。

一九九四年二月の報告書では、委員会の成績は、数字のうえで非常に好成績である。た

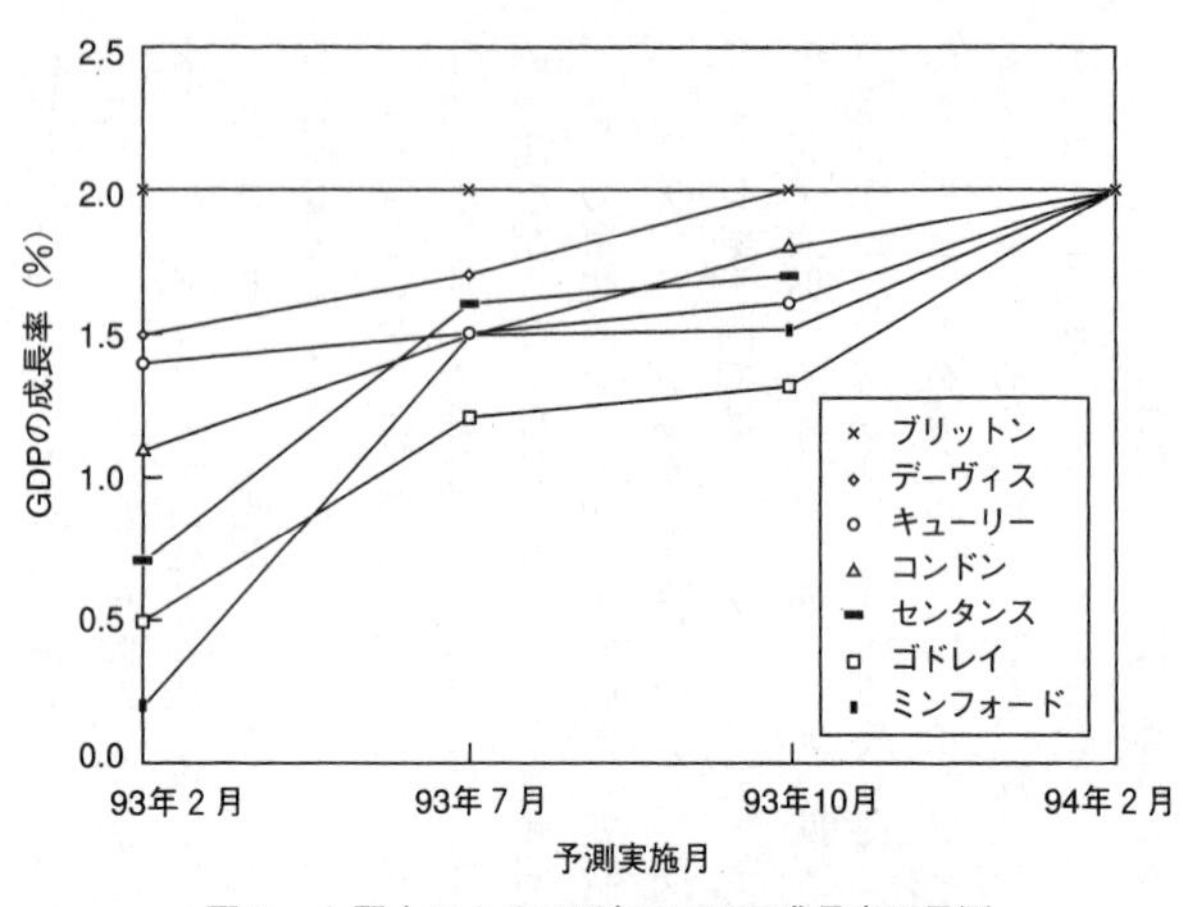

図５　七賢人による1993年のGDP成長率の予測

とえばＧＤＰ成長率の予測については、年頭は大きく外れていたが、期待通り、月が進むにつれて正しい数値に収束している（図５参照）。

また一九九四年二月、経済学者たち（アンドリュー・センタンスを失い、当時は六名に縮小）は、極めて接近した当年の成長率予測をしていた。予測値は、二・四％、二・五％、二・七％、二・七％、三・〇％、三・〇％だった。しかしながらインフレ率の予測は、またもや大きくばらつき、一・七％、二・四％、三・一％、三・一％、三・二％、三・八％だった。実際の結果は、それぞれ三・九％、二・三％だった。そういうわけで、再び実際の経済は経済学者たちの予測よりも大きく成長し、インフレ率は低かったのだ。

なぜマクロ計量経済学モデルは生き長らえているのか

たとえマクロ計量経済学モデルの歴史が期待通りの活躍をしてきたと言えるものでないとしても、予測を改善することはできないものだろうか。最良のモデルの最良の特性が、最悪のモデルの最悪の特性に取って代わることはできなかったのだろうか。問題なのは、モデラーたちが互いに学び合えるためには、その前に、どれが最良のモデルでどれが最悪のモデルかを決定しなければならないことだ。どのモデルが最良かについて何も合意がないだけでなく、どれならば最良のモデルになり得るかに関する合意も、どれが失敗する経済モデルかに関する合意もないのだ。この問題が実際にどのように解決されるかは、比較が可能になるある方法を用いることによって、見えるようになるだろう。この章の議論は、後年、この委員会に加わった何人かを含む経済学者たちからの例証によって進められる。

(1) 「経済の基礎構造」対「経済の振る舞い」

経済学は、物理学のように極めて理論的な科学だと考える人がいるかもしれない。もしそうならば、モデラーの役割は、経済の基礎構造を特定することになる。詳細部分は誤差項に関係するため、モデラーは細かい点に気を取られ過ぎてはいけない。アナロジーを用いれば、マクロ経済モデルはニュートンの運動方程式のようなものになる。もしも経済学的な実体が、惑星のように宙に浮いているのならば、モデルは、ニュートンの法則が惑星の未来を予測できるのと同様に、経済の未来を正確に予測できるだろう。実際の経済学的実体は、喩えるなら海洋により似ている。海洋はニュートンの法則に従っているが、風や天候のために、来週の火曜日の潮の高さを正確に予測できる者は誰もいない。もしもこのように経済を考えるならば、予測の失敗は、基礎的モデルの失敗を示しているわけではないことになる。パトリック・ミンフォードは次のように述べている。

これについての私の出発点は、経済学は、完全に明らかに、言葉の通常の意味での「精密科学」ではないということだ。それは非常に確率的（沢山のランダムな要素があるということ）なのである。諸関係を正確に見極めることはとても難しい。……にもかかわらず、そこには需要と供給の法則を基にしたある基本法則があり、とくに長期的な経済の振る舞いを支配しているのだ。

この解釈では、たとえ現実の経済がそれに従わないとしても、モデルは時間が経った後も安定していなければならない。

一方、経済は著しく絶えず変化しているが、にもかかわらず自分たちの課題はそれを予測することだと考えるモデラーもいる。アンドリュー・ブリットンを含むそのようなモデラーたちは、あまりに変化しないモデルは悪いモデルに違いなく、自分たちは潜在的な変化を見抜くべきだと考えている。太陽系とのアナロジーを用いて言えば、たとえ巨大な質量の彗星が絶えず太陽系を横切り、軌道を攪乱させているとしても、惑星の未来を予測できるはずだと考えているのである。唯一手に負えない問題は、いつ、まったく新しいタイプの攪乱的特性が現れるかである。このようなモデル化の考え方によって、経済学者たちは自分自身の判断もモデルの中に含めたいと考えている。

これら二つのアプローチが、アンドリュー・ブリットンによって次のようにまとめられている。

私は、実際に二つの異質なアプローチがあると考えている。一つの立場は、このアプローチは科学の一支流であり、すべては、人々が理解可能な客観的な規準に基づかねばならないと言う。もう一つの立場は、それではあまりに柔軟さに欠けており、むしろ諸科学のなかに居場所を持っている判断、あるいはこう言ってよければ直観と呼ばれるものがあって、直観の利く人々がそれに成功するのだと言う。

(2) 定量的予測

以上の二つのアプローチによって経済モデラーたちの目標を改めて定めたとすれば、いずれにせよ彼らは、誤りを犯してもよいという認可を得たことになる。「安定的な理論」のアプローチが誤る認可を与えてくれる理由は、モデルとは、変化する現実の基礎構造のみを表現するものとされているからだ。これに対し「判断」のアプローチが誤る認可を与えてくれる理由は、真理や正確さ、再現可能性という科学の標準的モデルが期待するようなものの進歩を、決して期待しないからである。ワイン・ゴドレイは、ロバート・エヴァンズに次のように話している。

数値の表は良い予測のための敵だ、と私は考えています。(予測の価値は)状況全体がどのようなものになりつつあるのか、どんな特徴を持つようになるのかについて、適切なアイデアを提供してくれるかどうかで判断されるべきです。

別の計量経済学者は、公表された予測についてこう語っている。「私は、経済学者のコミュニティーでの証拠とは、予測の失敗をたいていの場合、決定実験(訳注1)の証拠とは考えないというものだと思います」。

このような意見は、アンドリュー・ブリットンの次のような推論によって正当化される。

（予測は）すべて確率的な言明である。すべての計量経済学者は、確率論的な規準という観念に立脚している。理論と整合しない結果の起こりやすさは五％未満だと言えるなら、これを切り捨てなければならないということだ。[原注1]光速度はすべての方向で同一である、と示すような決定的な実験は得られないのである。

さらに、モデルはわずかな変化にも非常に敏感になり得るため、上出来の確率的言明としてのモデルの地位は保ったたまま、明白な予測の誤りに対して説明を与えてくれるようなデータをいつでも見つけることができる。ミンフォードは、モデルに対する信頼を失わせるのは「予測の重大な誤り」（3項参照）だけであると考えている。彼は次のように述べている。

率直に言って、ほとんどの計量経済学はごみくずだと私は思う。何事かをテストしたと称する専門誌には、完全なでたらめが恐ろしいくらい沢山掲載されている。しかし、それはたわごとなのだ。なぜなら、同じデータに基づいた結論の方向性が、仕様とサンプル期間をわずかずつ変えるだけで、他に五つもあるからだ。このようなデータは、（帰無）仮説を支持するか、はたまたわずかにその仮説としての価値を減じさせるだけなのである。

エヴァンズに対するもう一人の回答者は、信頼できる推論をするにはデータベースがあまりに小さ過ぎると示唆した。経済学者たちは過去三〇年のデータを使っているけれども、三〇〇年のデータベースがより良いと彼は述べている。

モデルは、方程式が依拠する経験的データベースの違いに左右されるだけでなく、項の定義のわずかな違いにも敏感である。経済学的変数は、理論の核心にしっかりと守られているものであっても、異なるやり方で考えることができるのだ。たとえばポール・オルメロッドは次のように述べている。

同じ政治体制のなかでも、何が消費機能における富の重要な定義かについては、多くの異なる見方が存在する。つまり、所得に対するインフレの影響を考慮することが重要なのだろうか、それとも他のことが重要なのだろうか、ということだ。

(3) 予測の重大な誤り

計量経済学者が自分たちの失敗の説明を与える、その場しのぎの推論には沢山あるのだ。

先述のようにパトリック・ミンフォードは、計量経済学的なテストがあまりに甘いため、モデルの深刻な構造的誤りは「予測の重大な誤り」によってしか明らかにされないと考えている。彼はこう言っている。

専門家が自分の見方を変える方法には、大きく二つある。一つは、理論が明らかに意味の通らないものならば、それを投げ捨てるか、あるいは別の理論が現れて、それが理に適ったものならば受け入れればよい。……無視できないもう一つの理由が、予測の重大な誤りである。

しかしながらミンフォードのモデルは、一九八〇年から八一年にかけてのイギリス経済の景気後退を予測し損なっていた。エヴァンズは彼に、一見したところかなり大きな失敗であるように見えるのに、どうしてモデルを捨てなかったのかと尋ねた。ミンフォードは次のように答えている。

ええ、確かにそうです。しかし私は、重大な誤りについて話しているわけではないのです。もちろん私たちは、たとえば一九八〇年に見られた景気後退を予想してはいませんでした[訳注2]。しかし私たちは、著しいインフレ率の低下を予測しましたし、サッチャーの政策が緩やかな景気後退——成長率の低下ですが——をもたらすだろうということは予測していました。しかし他の人々は、もっと大きな景気後退があるとした点は正しかったけれども、インフレ率の低下はないと言っていたのです。

ここでミンフォードは、彼の全体的な描像はインフレ率の低下を見抜いた点で正しかったのだということを根拠に、成長率の大幅な低下を彼のモデルが予測できなかったことを弁解している。エヴァンズは、ミンフォードがこのように言えたのは、一九八〇年代の保守党政権が成功の尺度としてインフレ率に与えていた重要性があったからだ、とほのめかしている。明らかに、もしも政府が成長率の大幅な低下や失業率の上昇から注意を逸らしたいと願うならば、それらの予測の失敗を吹聴するような真似はしないだろう。それらの指標は、当時の保守党政権の政策目標ではなかったのである。

(4) 運

重大な誤りに悩まされることがなかったモデラーたちは幸運で、他の人々は誤りを犯してしまい不運だったと論じることもできるだろう。自分は経済システムの基礎構造をモデル化しているのだと考える人にとっては、誤った根拠に基づいて正しい結果を得ることは、正しい根拠に基づいて誤った結果を得ることよりも価値を持たない。ミンフォードは、ワイン・ゴドレイのケンブリッジ大学グループに触れながら、次のように述べている。

ケンブリッジは……失業率を正しく見極めていたが、それは彼らが産出量についてはひどく見通しを誤っていたからだ。……彼らは、失業率と産出量の関係についてあまりに楽観的過ぎたため、かえって失業率を正しく見極められた。しかし他のすべての人々と同様に、失業率よりもむしろ、こう言ってよければ、組み合わせについては見誤ったのである。だから私は、人々がケンブリッジの見方にさほど感銘を受けたとは思わない。人々は、ケンブリッジ・グループは需要と産出量についてあまりに悲観的だ、とまさに感じており、彼らは誤って失業率を正しく見極めたのだ、という感触を持っているのである。

同様にデイヴィッド・キューリーも、一九八九年と九〇年のインフレ率の予測でティム・コンドンが収めた勝利について、同じことを述べている。

ティムについては検討し直さなければならない。つまり、ティムは八八年から八九年にかけてのインフレ率を予測したが、彼は以前にも同じ予測を繰り返していたのである。彼は何年もそれを続けており、その予測が当たる理由は広義の貨幣(訳注3)の成長を見れば判る。

広義の貨幣がしばらくの間、何ら爆発を伴うことなく急速に成長したからなのだ。したがって問わなくてはならないのは、ティムの予測は果たして勝利したものなのかということである（つまり、同じことを十分に長い期間予測し続けていれば、いつかは正しくなるのだ）。

さらに興味深いのは、パトリック・ミンフォードが、一九九三年の成長率を〇・二％とした彼の予測が外れ、実際には二％の成長が達成されたとき、政府は幸運だったとほのめかしている点だ。七賢人の一九九四年二月の報告書で、彼は次のように述べている。「……経済回復の遅れによる未だに不十分な状況が、それほど悪いものでなくて、政府は幸運だった」。

(5) 経済の問題点

ここまで見てくるとわれわれは、マクロ計量経済学のモデラーたちが間違うのは実に難しいということが判る。もしも、細かい動向よりも安定した構造に関心を持つことを選んだならば、定量的な誤りについて説明する義務はない。いずれにせよ誰もが同意するのは、モデルの確率論的性格や、入力データが間違っている可能性、ある項は異なるやり方で定義され測定され得るという事実、未来の外生変数は当て推量せざるを得ないという事実、そしてある程度の判断が混入するのは避けられないことから、小さな誤りが生じるのは初めから判っているということなのだ。たとえ、重大な誤りがモデルの間違いを証明すると考えられたときでも、それでもなお経済学者たちは「重大さ」の意味を論議し、正確さと不正確さの違いは経済学の賢さではなく幸運さの問題だ、と考えることができる。そしてついには、経済がラジカルに変化したのだといつでも言うことができる。アンドリュー・ブリットンは、ロバート・エヴァンズに次のように述べている。

実質上すべてのモデル、形式的に完全に作り上げられたすべてのモデルが予測に失敗するという事実は、われわれのモデルが取り立てて悪いわけではなく、基本にある経済が変化したのだということを示唆している。

言い換えればブリットンは、悪いのはモデルではなく、現実の経済の方なのだと言いたいのである。

検　討

マクロ経済学のモデラーたちは、いっそう深刻な形態の実験者の悪循環、あるいは「技術者の悪循環」とでも呼ぶべきものに苛まれているように見える。実験者の悪循環が起こるのは、科学者が、ある実験結果がどのようになるべきか決定できず、それゆえ実験結果を、実験が正しく行われたかどうかを判定する規準として使えないときである。マクロ経済学のモデル作りの場合には、一見したところ、モデルの結果はどのようであるべきかはほとんど疑う余地がないように見える。なぜなら、正しい結果は、何らかの成長率やインフレ率の予測を経済学者がいつ行うか次第だからである。しかし、たとえわれわれが正しい結果とは何なのかが判っていても、モデルによる予測と結果との一致はどのようであるべきかについて合意が得られていないために、経済学者たちはなおも悪循環を解決できない。第一に、定量的表現における一致とはどんなものであるべきかに関して同意できていない。トレンドに関する広義の一致であるべきなのか、それともパーセンテージの数値の一致であるべきなのか。これは、理論的に導出された数値と実験結果との一致を扱うすべての科学にとっての問題であり、測定の機能に関する論文でトーマス・クーンが見事な形で提出したものである。第二に、数値の一致や不一致は運の違い以上の何かを表しているのかどうかについて、彼らは同意できていない。

いずれにしても経済学者たちは、モデルが信頼できないものであることを知っている。このことは、彼らが正しい確率を統計学的に計算する可能性に対する、彼ら自身のコメントに目を向ければ明々白々だ。パトリック・ミンフォードはロバート・エヴァンズに次のように答えている。

問題なのは、確率論的なシミュレーションには、それらが依存している非常に限定された一連の誤差があるということです。また、一般には確率論的シミュレーションに含めない外生変数（モデルの外部にあり、判断の対象となる変数）が持つ誤差もあります。（エヴァンズ：では、もしもそれらを含めたら、結果はもっと悪くなるのでしょうか）。ええ、まさしくそうです。それが、予測誤差の幅を公表するのがまったく無意味である理由なのです。それは極端に大きいのですから。……私は、すべてを腹蔵なく公表することには大賛成ですが、その標準誤差は巨大だという難点があります。予測を取り囲んでいる不確実性を本格的に抜き出そうとすれば、それは巨大、絶対的に巨大になるでしょう。

ポール・オルメロッドも同じように答えている。

……平均や標準誤差を計算することは、ずっと以前から技術的に可能なことでした。実際にはこれを、七〇年代半ばに国立研究所で実行できたでしょう。しかしわれわれは、標準誤差があまりに大きく、モデルや予測を使う専門外の人々がそれらの真価を認めるのは難しいため、実行するのを控えてきたのです。もし実行していれば、信用を失っていたでしょう。

したがって、デイヴィッド・キューリーのグループが欧州為替相場メカニズム（ERM）加入による影響の予測に失敗し、その責任を自分たちに問うことは難しいとエヴァンズにほのめかしたとき、キューリーはあまりに野心的だった。彼はこう述べている。

われわれは強力なERM加入国であり、ERMは持続可能だと考えていました。しかしそうではないことが判ってしまった。その理由は、われわれが間違った交換レートを選んだからなのかもしれず、パトリック・ミンフォードが論じていたように固定交換レートのせいなのかもしれません。あるいはイングランド銀行が戦術上の過ちを沢山犯したからなのかもしれません。いろいろ論じるのは簡単ですが、本当の理由を知るのはとても難しいことです。

むしろ彼は、「どんなモデル化のプロセスもERM加入が良いことなのかどうかについて何も教えてくれない」という彼の考えを正当化するものは微塵たりとも存在しない、と言うべきだったように思われる。

以上の分析の観点から、われわれは何が起きているのかを問わなくてはならない。まずシニカルなアプローチ、つまり政治家の視点から見てみよう。ERMからの撤退が示しているように、政治家は経済の未来を予測するのが取り立てて得意なわけではない。もしも職務を遂行する科学的な方法があれば、結構なことだろう。それによって政治家は、意思決定の責任からいくらかは解放されるからだ。われわれが指摘したように、経済モデルは科学的な装いを施されている。一七八ページの方程式は、科学の香りを漂わせている。科学はしばしば責任回避の方法として利用されるのだ。ある種のファシズムは、道徳的責任を計算に置き換えたものと見なすことができる。たとえ政治家自身は、モデルが信頼できる結果をもたらすとは信じていなくても、大衆がそれを信じれば、彼らにとっては結構なことなのだ。もしも大衆が、「進行中の科学」というものがあると信じていたならば、政治家は、失敗の責任のいくらかを経済学者と分かち合えただろう。

政治家の如才なさから、このような種類の理由で経済学者たちを雇ったのかもしれない。初期のサッチャーイズムには、経済学に対する真剣な信仰があったのではないかと疑うこともできるだろう。初期のサッチャーの施政が、ミルトン・フリードマンが発展させた学問的アイデアに忠実だった様は、大規模な生産量の減少と失業率の増大にもかかわらず、その学説には科学的な保証があると考え、政府が科学主義のイデオロギーに突き動かされていたことを示唆している。恐らく、悪名轟(とどろ)くほどに大臣たちが辞職を拒んだ後の保守党の施政は、責任を専門家たちに転嫁することに、よりいっそう関心があったのだ。

偏った見方を続けよう。次に経済学者たちに目を向けてみる。イギリスや他の多くの国々の大学研究者は、かつて集めていた尊敬の多くを失ってしまった。給料は急落し、雇用保障も少なくなり、雇用条件も悪くなった。興味のある研究を行うための資金もぎりぎりまで切り詰められてしまった。元は大学研究者だったモデラーたちは、昔以上に、自分たちの努力に対する報酬の一種として「一五分間の名声」[訳注4]でも受け取る用意ができていたのかもしれない。たとえ経済予測の強さと弱さが、かつてないほどに暴かれてしまうことが明らかだったとしても、少人数からなる明確な態度を持った政府のアドバイザー・チームのメンバーになるチャンスをものにすることは、ほとんど抵抗できないことだったに違いない。そうであれば、経済学者たちが、あのような政府の科学的占い師という役割を果たすのを、それほど渋ってはいなかったとしても理解できるだろう。

今度は、物語のより肯定的な解釈をしてみよう。計量経済学モデルに正確さを期待するとき、恐らくわれわれは、あまりに多くのことを求め過ぎているのだ。とにかくわれわれは、二日以上先の天気予報に正確さを期待したりはしないのに、マクロ経済学のモデラーたちには何年も先の予測を期待しているのである。天気予報と計量経済学的予測は、極端に複雑なシステムを一連の相互作用する方程式によってモデル化しようとしている点で似ている。片方には的中を期待しないのに、なぜもう片方には期待しなくてはならないのだろうか。しかし、これではまだ、なぜ政治家たちは不可能な科学の専門知識を求めねばならなかったのか、なぜ経済学者たちはそれを提供し続けなければならなかったのか、という問いに答えたことにはならない。その失敗にもかかわらず、私利を無視すれば、計量経済学のモデラーたちは、なおも経済に関する最良の助言者だということはあり得るのだろうか。

問題を専門知識の面から考えることによって、謎は解かれるだろう。恐らくマクロ計量経済学モデルの科学には、間接的な価値しかないのである。陸軍刑務所にいる兵士たちに与えられた仕事について考えてみよう。たとえばイギリス陸軍刑務所では、兵士たちは、自分のカーキ色のナップザックの帯ひもストラップの端についている小さな真鍮を、金ぴかになるまで磨かなくてはならないが、そのとき帯ひもには磨き剤を一切残してはならない。この難しい作業は、ナップザックの軍事的有用性から見れば反生産的である。なぜなら光る留め金は、迷彩を台無しにしてしまうからだ。しかし真鍮を磨くことで、兵士たちは、軍事的に極めて重要な非常に難しい別の技能、つまり自己の個性を抑制することを学んでいるのである。真鍮磨きは、計量経済学のモデル作りの直接的なアナロジーではなく、どのようにして、あることを行うのが別のもっと有用な一連の技能を身につけることになるのかを示す例である。

次のように言われていることを触れないわけにはいかない。すなわち大きな金融機関は、大学で経済学の学位を取った人々を、彼らの経済学の知識というよりは他の特性ゆえに雇いたがる、と。マイケル・ルイスは、著書『ライアーズ・ポーカー』で次のように述べている。

何ら明白な使い道のない数学的論文を生み出す難解な科学にますますなりつつあった経済学は、ほとんど責任転嫁のために作られた仕掛けのようだった。その教育のやり方は、まったく想像力を刺激するものではなかった。本当に経済学の勉強が好きだという人は、ほとんどいなかったのである。現場に自由勝手なところが少しもないのだ。……経済学を勉強することは、ますます生けにえを捧げる儀式のようなものとなっており、……私は、友人たちが人生を絶えず無駄遣いしているのを見た。しばしば私は、その他の点では知性あふれる銀行就職予備軍の人たちに、なぜ経済学を勉強したのかと尋ねたが、それでも彼らは小さなおかしなグラフを描くのに時間を費やしていた。もちろん彼らは正しい。……経済学は人々に仕事を与えてくれるのだ。そして、経済学が仕事を与えてくれるのは、彼らが経済生活の優越性を最も熱心に信奉する人々だからである。

(Lewis, 1989, pp.26–27)

ルイスは、大学で経済学の訓練を受けることは、真鍮磨きを学ぶのと等価であることを効果的に述べている。つまり、そうすることによって、「進んで自分たちの教育を職業に従属させる」人々が選別されるのである。そうならば、たとえマクロ経済学のモデル作りから生まれたモデルが役に立たないとしても、それを作る努力によってモデラーたちは有用な能力を身につけるのかもしれない。マクロ経済学のモデラーたちは、モデラー集団のなかで専門的な信用を集めている人々に要求される、長年にわたる経済への注目の結果、経済機構の働きについて他の多くの人たちよりも判っているのかもしれない。このように見れば、政治家がアドバイスを求め、経済学者たちがもっともなプライドを持ってそれを提供することは、十分に理解できる。求められているのは、モデル作りの有用な最終生産物である科学的な結論ではなく、モデル作りによって強化された厳密さの副産物である知恵と経験なのである。このような人々は、経済におけるある事柄がどのように他の事柄と結びついているかを知っているのだ。

ゴーレム・シリーズのメッセージは、専門家のアドバイスの価値は彼らの手続きの科学的な見掛けではなく、彼らの専門知識に基づいて判定されるべきだということである。マクロ経済モデルが相互作用する方程式の体系から構成されるということは、実際には人を惑わせるものである。それによってモデルには、本来帯びるべきではない信頼性が与えられてしまうからだ。その結果、すべての専門家のアドバイスがときどき不正確になるのと同様、実際の経済動向によって経済学者のアドバイスが不正確だったことが明らかになっても、ずっと後まで、政府がある経済政策を継続するよう促してしまうのである。モデルを作る経済学者たちは信頼を受けるに足るが、彼らのモデルはそうではない。モデルの整合性を判定するのと同じ規準で、専門家のアドバイスを判断するべきではない。

後記

経済学者たちや他の人々は、こう尋ねるのが好きだ。「もしあなたがとても賢いのなら、何故あなたは金持ちではないのですか」。この嘲（あざけ）りのなかにある含意は、他様にも働く。多くのマクロ経済学のモデラーたちは金持ちなのだ。これが意味するのは、彼らのモデル作りの活動は、ここでの分析が示唆するよりも効果的だということなのだろうか。必ずしもそうではない。

金持ちになる方法は、経済がどちらの方向へ向かいつつあるのかについて、他の人々よりも多く知っているか、より早く知ることである。そうすれば、市場の変化より前に行動を起こせるのだ。われわれの見解では、モデラーたちが発展させるような類の技能は、金を稼ぐのに十分なほど信頼できる予測をもたらしたりはしない。しかしながら、ここには二重の間違いがある。第一に金を稼ぐ方法は、政府が知りたい中期的な変化よりはむしろ、極めて短期的な変化の予測に関わるものだろう。計量経済学のモデルは、天気のモデルのように、長期的なものより短期的なものの方が優れているだろう。恐らくより適切に言えば、短期予測は、何を知っているかではなく、誰を知っているかという問題なのだ。言い換えれば、市場への近さが、情報を間接的に得る人々にわずかに先んじるのを可能にしてくれるのである。恐らくほとんどの裕福な経済学者たちは、市場に近いところで働いているのだ。

第二に、予測家たちのなかには、その予測が市場を変化させてしまうくらい重要な人々がいる。もしもあなたが有能な予測家で、しかも産業界の生産意欲をかき立てる効果のある変化を予測しつつあると判っているならば、その予測に従って行動することは理に適っている。何故ならその予測自体が、予測されている変化の一要素だからだ。より多くの人々があなたを信じれば信じるほど、あなたの予測が本当になる見込みは高くなるのである。

(原注1) この光速度への言及は適切である。ブリットンが暗に言及している実験はマイケルソン＝モーリーの実験である。ただし前著『ゴーレム』で示したように、マイケルソン＝モーリーの実験は、ブリットンがそう考えているような明解なものでは決してなかった。にもかかわらず、われわれの考え方を大きく形作り、ついには、ブリットンの異議申し立てにもかかわらず計量経済学モデルの利用を正当化してしまうのは、(明解な実験結果による決着というこのような科学のモデルなのである。

（訳注1）仮説やモデルの正しさを決定的に反証ないし実証するような実験を「決定実験」という。

（訳注2）流通貨幣量の抑制政策によってインフレ率は、一九八〇年六月の二一％を頂点にして、九月には一六％まで下がり、翌年には一二％、八三年には五％を下回った。

（訳注3）広義の貨幣（broad money）とは、それ自体決済手段として機能する現金通貨および預金通貨（狭義の通貨）に、決済手段としては機能しないが、容易に決済手段に換えられる金融資産を加えたものの総称である。

（訳注4）アメリカのポップアーティストのアンディ・ウォーホルの言葉。メディアはあらゆる情報を目まぐるしく追い求めるので、誰でもいつかは取り上げられ、束の間の名声を得るということ。

6章　子羊の科学　チェルノブイリとカンブリア地方の牧羊農夫たち

われわれは、新たな啓蒙の時代の前夜を迎えているのだろう。一人の科学者が自分は知らないと言うとき、恐らく未来への希望がそこにあるのだ！――放射能汚染羊の危機の当時の全国農業者連合・地域代表者　（Wynne, 1996, p.32）

一九八六年四月二六日のソビエト連邦におけるチェルノブイリ原子力発電所事故は、原子力時代の決定的瞬間の一つだった。それは史上最悪の事故であり、炉心のメルトダウンに続く爆発と火災によって、何トンもの放射性物質が大気中に放出された。この事故によって、破滅を運命づけられた原子炉を救うために闘った発電所員や消防士が殺されただけでなく、死の灰の通過経路の下に住んでいた多くの人々が、病や幼年死、あるいは隠れた敵が頭をもたげるのを脅え待つ生活に追いやられた。大気は国家を選ばず、死をもたらす旅客をはるか遠く広く運んでいった。

イギリスに降り注いだ死の灰

当初、イギリスは、いつも通りの天気が西からやってくるので、影響を免れるかに見えた。しかしながら事故から六日後には、天気予報に対する伝統的なイギリスの懐疑主義は確証されることとなり、山地や高地を襲った豪雨や雷雨が放射性物質という荷を降ろしていった。チェルノブイリ雲は、イギリスにたどり着くまでの間少しの雨も降らすことなく、四〇〇〇キロメートルの旅をしてきたのだ。カンブリア高原（旅行者には湖水地方の高地渓谷として有名）のようないくつかの地域では、二四時間当たりの降水量が二〇ミリ近い異例の大雨に見舞われた。

核戦争の最悪のシナリオに備えて設置された特別観測所によって、汚染雲の最初の兆候が捉えられた。降水が放射能の散布に影響を与える主要因であるため、大雨が警戒されていた。チェルノブイリの死の灰の主成分の一つである放射性セシウムが最も影響を受け、一ミリの降水によって、晴天時の二四時間分に相当するセシウムが、一時間かそこらで降下するというのである。これは、より乾燥した地域が風塵による連続的な降灰を二〇日間被った場合と同規模の汚染物質を、カンブリア高原地方は一日で受け取ることを意味していた。

政府は「万事大丈夫」と言っている

雨が降ったにもかかわらず、イギリス政府のスポークスパーソンと科学の専門家たちは、重大なリスクは何もないと宣言した。五月六日には環境大臣ケネス・ベイカーが、「雲の影響はすでに評価済みであり、イギリス国内での健康上のリスクを示すものは何もない」ことをイギリス議会に保証している（Wynne, 1989, p.13）。放射能レベルは「健康を害するレベルに近くなる場所はどこにもない。」、と（同書）。雲はすでに移り去りつつあり、重大ではない程度でわずかに上昇したレベルも、ひたすら下がり続けることが期待されたのである。しかしながら、国民の懸念は高まったままだったので、環境省は、放射能レベルに関する日刊の公報を発行し始めたが、メディアの憶測は盛んなままだった。市民のなかには、問題に個人で対処することを選び、日用品を買うのを拒否した者もいた。

公式の政府諮問組織である英国放射線防護局（NRPB）のジョン・ダンスターは、政府スポークスパーソンよりも慎重であり、今後五〇年間のイギリス国内のがんの発生が数十件増えるだろうという予測を五月一一日に発表した。しかし彼はまた、雲が戻ってこなければ、事態は一週間か一〇日ですべて収束するだろうとも公言している（Wynne, 1989, p.13）。五月一三日にはケネス・ベイカーが、痕跡は残るものの、週末までにはイギリスでの事件は終わるだろうと発表した。事実、放射能レベルに関する広報は五月一六日に発行終了になった。

放射能にまみれた子羊

イギリスでは、国民が汚染食物を口にすることで生じるリスクの科学的アセスメントの責任は、農業水産食品省（ＭＡＦＦ）にある。ベイカーが事件は「終わる」だろうと発表した同じ日に、ＭＡＦＦの科学者たちは、カンブリア高原産の羊肉のサンプルの放射能レベルが、政府およびヨーロッパ経済共同体（ＥＥＣ）が公式に定める「行動開始レベル」よりも五〇％高いことを確認した。これは政府の介入を要しない放射能レベルの最大許容値だった。この警告にもかかわらず、政府の公式発表では、汚染レベルは重大なものではなく、さらに低下していると主張し続けた。

五月三〇日、ＭＡＦＦは、丘陵地帯の羊や子羊の放射性セシウム量について新たな「高目の読み」を発表したが、「それらのレベルは、目下のところいかなる特別な行動も要求するものではない」と断言した。丘陵地帯の子羊はまだ若く、市場に出回る前に放射能レベルは自然に下がるだろうと期待されたのである。

しかしながら、六月二〇日には、それ以前に下されたすべての科学者や政府による勧告が矛盾したものになった。農業大臣マイケル・ジョップリングが、カンブリアと北ウェールズの指定地域の羊の移動と屠殺を直ちに禁止することを発表したのである。この禁止は三週間にわたって続けられることになっていた。ところが、この予期せぬ展開にもまた、放射能はすぐに許容できるレベルに下がるので、影響は最小限に留まるという保証が再び伴われていた。そこには、国民の不安を鎮めるような言葉が選ばれている。

調査の結果は、全般に満足のいく展望を示しており、店頭にある食品の安全性について心配する理由は何もありません。しかしながら、出荷できるほど成長していないカンブリアおよび北ウェールズのある地域の若い羊に対する調査は、放射性セシウムのレベルが他の地域よりも高いことを示しています。……そのレベルは、羊が出荷される前には減少するでしょう。（Wynne, 1989, p.14）

放射能羊が汚染された草を食べたことは、誰が考えても明らかだった。しかし汚染物質は、筋肉中の通常の代謝過程や排尿、排便などによって、すぐに羊の体内から出ていくと予想されていた。このため短期間の禁止で十分だと期待されたのである。このことは、草から新たな放射性物質を吸収しないことを前提にしていた。これから見ていくように、この前提は誤りだったことが判明する。

六月二〇日の楽観論は短命であることが判った。羊の体内の放射能レベルは上がり続けており、七月二四日にはカンブリア地方に対する禁止が無期限に延長された。後には同様の禁止や制限が、北ウェールズやスコットランド、北アイルランドの各地でも実行された。最大の問題は、イギリス国内の羊のおよそ五分の一に当たる四〇〇万頭の出荷ないし屠殺が制限されたことだ。元の事故から二年たった一九八八年でも、約八〇〇軒の農家と一〇〇万頭の羊が規制下に置かれていた。

このような禁止によって、丘陵地帯の農家の生活は深刻な影響を受けた。春羊の出荷は農家に年収の大部分をもたらしていたのである。出荷のタイミングは決定的に重要だ。牧草地で養える以上の子羊が飼育されており、過放牧になる前に余分な子羊を売りに出さなければならないからである。汚染された子羊をすべて廃棄処分することも可能ではあったが、長期的な飼育サイクルを壊すことになる。

草地の正常な生態系が滅茶苦茶にされたのと同時に、農家は収入も失ってしまった。農家にとって、恐らくもっと酷かったのは、自律的な意思決定権を彼らが失ってしまったことである。片田舎に暮らし、最も工業化からかけ離れていた自立農家は、突如として、遠く離れた科学官僚組織の支配下に置かれてしまったのである。

農夫たちにとって、科学者たちとの出会いは幸せなものではなかった。彼らは裏切られたと感じたのである。科学者たちの傲慢さや、ころころ変わる見解にもうんざりしていた。彼らの科学への信頼は砕けてしまったのである。これは、科学者が素人との関係を悪くしてしまった一例だ。その教訓は、われわれすべてに重要である。

子羊の科学

何が悪かったのだろうか。一九八六年五月初旬に行われた、チェルノブイリの死の灰がイギリスにもたらした脅威に関する最初の科学的アセスメントは、降雨による放射能汚染の二つの側面を科学者たちが過小評価した点で間違っていた。

第一に、雨水は一様に流れたり集積したりはしない。起伏のある丘陵地では、特にそうだ。小川や水溜まりの影響から、位置が一メートル違っても、放射能量が大きく異なることがあるのだ。どの場所の放射能量も、その場所での降水量に比例しないかもしれない。このような違いは、最初に放射能の測定が行われたときには理解されていなかったのである。第二のより深刻だった問題は、降水によって最初に汚染された草を羊が食べた後では、放射性セシウムが植物によってそれ以上吸収されることはないという仮定だ。土壌中でのセシウムの化学的振る舞いに関する知識は、丘陵地帯の酸性の泥炭質の土壌ではなく、むしろ低地の粘土質の土壌での振る舞いに基づいていたのである。丘陵地帯の土壌では、セシウムは化学的に可動的であり続け、根から吸収されやすい。このような環境で、放射性セシウムは絶えず草に吸収され、羊の体内で濃縮されることになったのだ。

科学者たちは、セシウムは一度ばらまかれてしまえば、土壌中に洗い流され、化学的な吸収によって閉じ込められてしまうため、羊の汚染は一度きりだというモデルを使って作業していた。科学者たちは、カンブリア地方の特殊な地理的条件を考慮に入れ損なったために、間違ったアドバイスをしたのである。モデルが間違っていたことが明らかになったのは、二年間、高い汚染レベルが続いた後だった。

実際には、丘陵地帯の土壌中でのセシウム吸収に関するデータは、すでに一九六四年から利用可能になっていたことが判っている。けれども、そのデータは、人間に対する放射性セシウムの直接的な物理的脅威に関するものとして解釈されたのである。その脅威は、セシウムが深く埋没すればするほど小さくなっていたのだ。誰も考えが及ばなかったのは、セシウムが、草による吸収や羊による摂取を通じて間接的に化学的・生物学的な脅威をもたらし得るということである。

間違ったアドバイスだけが、科学者たちに対する農夫たちの信頼を失わせたわけではなかった。科学者たちはときどき間違う。しかし、牧羊農夫たちは不確実性という条件には慣れっこだった。彼らは、世界の気まぐれな本性を知っているのである。農夫たちが最も失望したのは、科学者たちが判定を下すときの傲慢とも言えるほどの確信や、誤りを認めるのを拒み、農夫たちの知識を一切信用しない態度だった。そのうえ科学者や役人たちは、牧羊農夫たちによる柔軟な意思決定の必要性に対して、何らの理解も示さなかったのである。

公務を司る人々の確信や、誤りを認めるのを拒否する態度は、モニタリングやサンプル採取、実地調査その他を行うために、科学者たちが最初にぞろぞろ群れをなして農場に押し掛けてきたときに、農夫たちが見たことと矛盾していた。農夫たちは、科学者たちが、どこでどのようにサンプルを採るか話し合っているのを見ていた。彼らは、しばしばほんのわずか場所を変えただけでも測定値が異なるのを見ていたし、バックグラウンド放射能や、コントロールが必要なたくさんの変数を首尾一貫して測定することが、いかに難しいかにも気がついていたのである。農夫たちがそこで目撃していたのは、科学者たちの自己表現とは相反する、定まった答えがないという、形成途上にあるゴーレム科学（迷いやすい科学）が持つ当たり前の性質であった。

ある農夫は、自分の羊の放射能測定が行われているのを見ていたとき、どんな疑問が湧いてきたかをブライアン・ウィンに語っている。

去年は、五〇〇頭の（羊の）測定をやった日があったよ。朝一〇時半に始めて、夕方六時までかかって。別の日には、ずいぶんとたくさんの測定をやったんだが、そのうち一三頭か一四頭の測定は失敗だった。すると（測定していた）彼はこう言ったんだ。「では、もう一度測定しましょう」。それで三頭、測定することになったんだ！　あんたもあれにはちょっと驚くよ。……あんなやり方じゃ差が出てくるんだよ。……そういう作業をするときには、それ（測定器）を尻に固定しないといけないんだ。羊は少し跳ねるんだから。（Wynne, 1996, p.33）

農夫たちの専門知識を見過ごした科学者たちの典型は、農場で行われた実験にまつわる、あるエピソードのなかに明白に示されている。科学者たちは、放射性セシウムを他の鉱物に吸収させせて取り除く方法を探していた。候補に上がった鉱物の一つであるベントナイトが、いろいろと濃度を変えて、フェンスで囲い込んだ区画にばらまかれた。そうやって、その区画で草を食んでいた羊の汚染がテストされ、山で自由に草を食べさせた対照グループの羊と結果を比較された。農夫たちはこの実験を、普段は羊は「囲いのない」山地で草を食むのであり、囲い込んでしまえば「無駄になる」（条件が失われる）と指摘して批判した。だが、この批判は無視された。しかし後日、まさに農夫たちが指摘した理由によって実験が中止され、彼らが正しかったことが証明された。

同様に、危機の初期段階でも科学者たちは、農夫たちの地勢に関するローカルな知識や、どこに水が溜まり、したがってどこに放射能のホットスポットが作られやすいかに関する農夫たちの所見を見過ごしていた。自分たちが暮らし、仕事をしている場所の自然世界に関する農夫たちの専門知識に対して、科学者たちは盲目だったようだ。

二つの集団が反目する最大の原因は、役人たちが露呈した、生活様式としての高原地帯の牧羊に関する無理解にあった。最初に農夫たちに下された勧告は、放射能レベルが下がるまで子羊の出荷を見合わせるというものだった。しかしこれは、市場販売用に羊を育てるということの微妙な難しさに関する無知を示すものだった。子羊の出荷時期を正しく選ぶことは、農夫の腕の見せどころなのである。ブライアン・ウィンは次のように記している。

時期選びで決定的に重要なのは、予期せぬ事態に対する柔軟性と適応能力である。変わりやすい冬の気候が去った後、四月中旬から五月下旬にかけて生まれた数百頭もの子羊は、八月から一〇月にかけての異なる時期の出荷に向けて肥え太らされる。……肥え過ぎても肥え足りなくても、子羊の状態はすぐに好条件から外れ、市場価値を失ってしまうので、出荷のタイミングが肝心なのだ。この決定を行うプロセスには、高度に柔軟な判断が求められる。全部の子羊を一遍に出荷するかどうか、出荷するとして、どれくらいの数にするか、どれを選ぶか、そして近くにあるいくつかの市場のうち、どこに出荷するのか。価格の趨勢や他の子羊の仕上がり具合、牧草地の状態、健康増進、翌年の子羊の出産に向けて番(つが)わせる雌羊の飼育状態、必要な資金量、その他、農夫が部分的にしか、あるいはまったくコントロールできない変動要因に対する複雑な職人的判断が、意思決定に入り込んでくるのだ。それは形式化されたものではないが、高度に洗練された専門的判断のプロセスなのである。このプロセスの本質は、子羊は後で売れ、という官僚的な危機管理のやり方に見られる硬直性とは正反対のものである。（p.33）

牧羊農夫たちは、政府の介入に憤ったのではない。彼らが憤ったのは、役人たちが、自分たちが介入している土地の複雑さと折り合いをつけるのを拒否し、農夫たちの専門知識を信頼するのを拒否したことなのである。

一九八六年八月一三日、過放牧問題に対処するため、ようやく政府は、汚染された羊を規制対象地域から移し、青ペンキで印をつけた子羊なら売りに出してよいという許可を農夫たちに出した。規制対象地域のすべての羊が汚染検査にかけられねばならなかった。印つきの羊を出荷用に屠殺することは、出産地が規制解除になるまで厳しく禁止されることになった。しかしながらこの羊の出荷は、低地に住むよその農家に損害を与え得るものだった。羊の体内の汚染レベルは、大量に汚染された高地の牧草の代わりに谷間の牧草を食べさせることで低下させることはできた。しかし、谷間の牧草は冬期の干し草や貯蔵生牧草のために必要だったので、大多数の農家にとってこれは選べる選択肢ではなかった。一度食べてしまえば、牧草が元通りに伸びるまで極めて時間がかかるのである。

この問題を技術的専門家たちは、またもや高地農業に関する無知を証明するようなやり方で取り扱った。彼らがまず農夫たちに勧告したのは、羊を谷間に留めておくことだったのである。先ほど述べた理由から、これはとんでもなく非現実的だ。その後彼らは、羊は「麦わらのような」輸入飼料で飼育できるだろうと提案した。この提案に対する典型的な反応は次のものだ。

(専門家たちは)俺たちの生活をわかっちゃいないんだ。あいつらは、丘のくぼみに立ってハンカチでも振れば、羊が駆け寄ってくるとでも思ってるんだ。……麦わらを飼い葉だと思う羊なんて聞いたこともない。そんなことを聞いたら、髪がみんな逆立っちまうよ。やつらが一体何をしゃべってるのか、あんた判るかい？(p.34)

規制令は、農夫たちに、羊を出荷する少なくとも五日前にその旨をＭＡＦＦに報告し、売る市場を決めておくよう求めていた。そうすれば、検査作業が前もって準備されることになっていた。検査を通過するまで子羊は、しばしば二、三回集められ、高地に戻された。これが、さらなる不満を生んだ。ブライアン・ウィンが再び物語ってくれる。

農夫たちは規制が必要であることは受け入れていた。しかし、通常は柔軟で非形式的な高地農業の経営システムに対する専門家たちのやり方が及ぼす影響について、彼らが明らかに無知であったことは容認できなかった。現実からかけ離れ、何の妥当性もない専門家の知識についてのこの経験は、聞き込み調査のなかでさまざまな具体的例証を伴って度々繰り返された。高地農業にとって重要な多くのローカルな実践や判断を、専門家たちは知らなかったのであり、彼らは、科学的知識はローカルな環境と適合させなくても応用できると考えていたのである。(p.34)

セラフィールドという要因

チェルノブイリの放射能は、一様に広がったわけではなかった。イギリスでの分布地図の顕著な特徴の一つは、カンブリア地方での最高レベルの地点が、セラフィールド核燃料再処理施設を囲む三日月形をなしていたことだ。この施設には、不正行為や放射能漏れ、近隣住民の間での説明のつかない白血病患者の集中発生などに関する一連の疑いに満ちた、論争の多い過去がある。そこは、チェルノブイリ以前に世界最悪の原発事故が起きた場所でもあった。一九五七年に原子炉が火災を起こし、三日間も燃えたのである。汚染の恐れがあったため、二〇〇マイル四方の地域産の牛乳が廃棄されねばならなかった。事故は秘密裏に処理され、その影響に関する重要なデータは集められなかったようだ。

セラフィールドとチェルノブイリの死の灰との親近性から、地域の農家は当然ながら、両者には関連があるのではないかと疑った。チェルノブイリの災害によって注意が向くまで、セラフィールドによる汚染物質が気づかれないまま残っていたというのが、シナリオの一つだった。ある農夫はウィンにこう話している。

これにはもう一つ話があるんだよ。私らはセラフィールドからそう遠くないところに住んでいる。もし何かあれば、そこからやって来たもののほうがずっと多いのさ。この辺りのほとんどの者がそう考えているよ。数年もすれば、みんな明らかになるよ。一度に明らかになることはないがね。ここら辺り一帯の白血病の多さを見てごらんよ。これは偶然じゃない。彼らは、あれはロシアから来たと言ってるが、それがセラフィールドの周りに集まっているのは絶対に偶然なんかじゃないさ。やつらは、みんながまるきりの馬鹿だと思っていやがるのさ。(Wynne, 1996, p.30)

このような疑いは、一九五七年の火災を包み込んでいた秘密主義によって強められていた。別の農夫がこう伝えている。

誰もそれを信じちゃいないよ。彼らは、一九五七年のセラフィールドに関するすべての文書を公開していないという事実があるんだから。毎週、みんなと話しているんだ。みんな、こいつはロシアから来たものなんかじゃないってね。いつもみんなこう言うんだ。「まだ規制するだって？　そいつはロシア野郎から来たものじゃないんだよ！　それがなくたって、戸口の階段には（セラフィールドのものが）たくさんあるのさ」。

（p.30）

さらに別の農夫は、セラフィールドの火災をめぐる意図的な誤情報も引き合いに出している。

この辺りの本当にたくさんの農夫が、それはセラフィールドから来たもので、チェルノブイリから来たものではまったくないと信じているよ。一九五七年は国防省ができたときで、やつらはすべて秘密にしていたし、恐らく事故はやつらが明らかにしているよりずっと深刻だったんだよ。地元の人間は牛乳を飲んでいたけど、本当はたぶん飲んじゃいけなかったんだよ。忘れるもんか。

（p.31）

ある農夫たちは、セラフィールドと汚染の直接的関係についての証拠があると確信していた。セラフィールド近郊に住むある農夫は、こう述べている。

冬に（丘の）頂上に登ってみれば、冷却塔が見えるよ。蒸気が上がってきて、頂上のすぐ下の丘面に当たるんだ。ただの偶然かもしれないが、(放射能の) ホットスポットがあるところは、ちょうど蒸気の雲が当たるところなんだよ。誰でも見れば判るさ。科学者になる必要なんかないし、専門的に考えるまでもない。……(p.31)

一九五七年の火災の後に堆積した灰の上を歩いた覚えがある、という農夫と話したこともあったとウィンは報告している。

このような疑いに対する科学の専門家たちの反応は、彼らに対する農夫たちの信頼をさらに損ねるものだった。科学者たちの返答は口を揃えて、二つの事件は無関係だと主張していた。セラフィールドとチェルノブイリの排出物は、半減期が非常に異なったセシウム一三七とセシウム一三四という二種類のセシウムの同位体を含んでいた。セシウム一三七の半減期が約三〇年であるのに対し、セシウム一三四は二年である。これは、時間が経つにつれて、セシウム一三四に対するセシウム一三七の比率が増大することを意味している。したがってセラフィールドとチェルノブイリの汚染物質に見られるこの比率は、非常に異なっていなければならないのである。丘陵地帯で見つかった降灰は、期待された比率と一致し、それがいわゆるチェルノブイリの「指紋」であることが明らかになった。専門家たちは、汚染はまさしくチェルノブイリによるものだと宣言した。しかし、これで農夫たちが満足したわけではない。

再びブライアン・ウィンが物語っている。

農夫たちにとって、この違いは高度に理論的過ぎるものだった。農夫たちへの聞き込み調査によれば、セラフィールドからの汚染物質は、一九八六年よりずっと以前から気づかぬまま存在していた、という信念が広く共有されていることが明らかになっている。農夫たちはいくつかの理由から、セラフィールドの放射能が汚染レベルの高さに寄与していることを信じている。第一に、同位体比率の違いが彼らに向けて証明されることはあり得なかった。彼らは単に、汚染レベルの減少率について確信を持ちながら、結局は間違っていたことを露呈したのと同じ専門家たちを信じるよう求められただけだったからだ。科学者たちの誤った確信は、信用の置けない印として度々言及されていた。第二に、農夫たちは、自分たちの農場では、ほんのわずか場所が違っても汚染レベルが驚くほど異なることに十分気がついていた。だが、この変異が公式の科学的主張のなかでは、何らのばらつきも不確実性もなしに平均値に置き換えられてしまっていることを、農夫たちは知っていた。もしも科学者たちが、それらの測定結果を、そのように不正確に表現できるのならば、恐らく同位体比率も、彼らが公に認めているものよりずっとばらつきがあるのかもしれない。　(p.36)

同位体比率の信頼性に対する農夫たちの疑いには、正当な根拠があることが判った。科学者たちが汚染について理解を深めるにつれて明らかになったのは、実際には、観測された放射性セシウムの半分だけがチェルノブイリから来たもので、残りは、核実験の降灰物や一九五七年のセラフィールドの火災など「他の発生源」に由来するものだということである。

以前にも同じように確信に満ちて、チェルノブイリ雲の影響は何もないだろうと主張し、さらにはその後の規制は短期で済むと主張したのは、しばしば、セラフィールドとのどんなつながりも嘲るように否定したのと同じ専門家たちだった。科学者たちの自信過剰と誤った確実性と映ったものに、農夫たちは幻滅していたのだ。

私の理論は、たぶん他の誰のものと比べてもひけをとらないと思うが、こうだ。われわれには判らない。……科学者たちはいつも、結論に達してはいないのに結論を急いでしまう。私の言うことが判るかい？　彼らは、黙って待っていた方がずっと良かったんだよ。　　(p.32)

専門家たちとのかなり不満足な出会いのことを、農夫たちはどう思ったのだろうか。ウィンが記しているように、彼らは、科学者たちは政府の圧力の犠牲になっていたに違いないと結論づけていた。農夫たちによれば、当局は隠蔽しようとしていたのだ。あるシナリオでは、当局は、隠してきた昔のセラフィールドの施設による汚染問題から注意を逸らす完全な口実を手にするために、チェルノブイリを待っていたのだとされている。このような結論は、危機の最中にアメリカのテレビ局チームが地域農家の公開集会の活発な討論を取材しようとしたのを、ＭＡＦＦの役人が拒否した有名な事件のように、政府の高圧的な態度に出くわしたときにはいつでも、信憑性を高める。集会を後にするとき、テレビ局のプロデューサーは怒りに満ちた大きな声で、「(グラスノスチ以前の) ポーランドに行ったときの方が、われわれはずっとオープンな扱いを受けた！」とコメントしたのである。

科学者たちに対する深い疑いは、『ゴーレム』で私たちが警告しておいた科学のくるくる豹変する思考に端を発している。確実性についてのすべてとしての科学と、政治的陰謀としての科学の間であっちに行ったりこっちに行ったりする現状は、望ましくないものである。科学とは確実性に関するものだという見方に農夫たちが最初に出くわしたのは、科学者たちがチェルノブイリの危機に対応しようと緊急出動したときだった。科学者たちは不確実性を認めるのではなく、長い目で見れば維持できない自信過剰な主張をしたのである。やがて前言が撤回されたときには、このことが、科学者たちはただ雇い主である政府の言いなりになっているだけだという新たな科学の見方に、農夫たちが飛びついてしまうのを促したのである。

科学の専門知識についてのどちらの見方も間違っている。もしも科学者たちが、農夫たちを、ある分野では重要な専門知識を持っている集団として扱っていたならば、両集団は互いに相手の貢献の価値を認めるようになり、自分たちの主張の限界を見極めることができただろう。このような態度は、公共の関心にかかわる問題を解決するための、より健全な雰囲気を作り出しただろう。

伝統的にイギリスでは、公衆衛生リスクに対する政府の対応法は、パターナリスティック（父権主義的）な不安除去である。政府は、パニックの危険の方が、市民に対する本当のリスクよりもたいていは大きいと判断しているのだ。そういうわけで彼らの仕事は、国民の不安を鎮めることだとされている。この対応法の実例は、健康についての国民の懸念にかかわる多くの事件で見ることができる。たとえば卵によるサルモネラ菌汚染のリスクや、より最近では「狂牛病」のエピソードがある。後者の場合には、牛肉を食べることと脳の収縮による疾患との間の関連を示す証拠が集まっていたにもかかわらず、政府の科学者たちはこれを軽視し続けたのだった。数ある危険の一つは、国民の健康とともに科学もまた傷つけられることである。

専門家たちと他のさまざまな人々との間の安定した関係のための前提条件は、ゴーレム科学に似た考え方がもっと普及することであるに違いない。これなくしては、政治組織のなかの不安定性と、私たちが心底必要としているアドバイス、つまり専門家たちのアドバイスそのものに大衆が幻滅することに、われわれは直面してしまうだろう。

7章　アクト・アップ　エイズ治療に貢献する素人の知識

一九八四年四月二四日、アメリカの保健福祉省長官マーガレット・ヘックラーは、ワシントンでの記者会見の際に、誇らし気に発表した。「エイズの原因が判明した」と。後にHIVと名付けられた特殊なヴィルス（レトロヴィルス）こそ犯人である。二年以内にはワクチンができるだろう。現代医学の勝利である。

翌年、映画スターのロック・ハドソンがエイズで亡くなった。ゲイの世界は過去四年ほど、この病気の話題で持ちきりだった。原因が判明したことだし、科学者たちも治療法を云々し始めた今、この病気で悩む人々は、一体いつ効果的な治療法が手に入るのか、期待は大きくなるばかりだった。かてて加えて、この病気の進行過程にも、ことの緊急さが生じていた。HIVの血液検査によれば、見たところ健康な人々の多くが、将来必ずしも安心できない状況にあることを示したからである。そういう人々に長期にわたる治療をすぐに開始した方がよいのか、それとも何か症状が現れるまで治療を待つべきなのか。エイズに関する医学的知識は急速に増大する一方、未知の部分が残ってもいる（エイズの原因でさえ、未だ科学的な検討事項である）なかで、差し当たって未熟でも今治療に乗り出すのがいいのか、あるいは成熟した治療法が見つかるのを待った方がよいのか。

エイズ――ゲイの悪疫

エイズは同性愛者に限られたものではない。しかしアメリカでは、当初「ゲイの悪疫」というようにメディアで表現され、ゲイたちは一つの共同体として、そこから来る様々な影響に迅速に対応しなければならなかった。アメリカのゲイコミュニティは並みの集団ではない。六〇年代、七〇年代におけるゲイの権利闘争の成功は、彼らの認知度を高め、また組織化をもたらした。教育のある、白人の中流のゲイたちが多数現れて、組織の影響力を高めた。アメリカ社会の中枢は依然として同性愛を嫌悪していると言えるが、大都市にはかなりしっかりしたゲイの共同体が存在するようになり、自らの制度を備え、公的な選出その他、彼らの政治的な自己認識を示す装飾を持つに至っていた。

ゲイであるということは、同性愛は病気か変質者であるというかねてからの考え方を、ある程度は駆逐して、どちらかと言えば正当性を認められるようになっていた。しかしエイズの出現によって、こうした状況が逆行する恐れが生まれた。公衆の間に、この病気は彼らゲイたちの邪(よこしま)な乱交の結果としてもたらされた宗教的な裁断なのだ、という考え方を生み出した。政権にあったレーガンや、その周辺の権力に近い右翼にとって、エイズは様々な偏見を打ち出すよいきっかけとなった。例えば、保守層を代表する評論家ウィリアム・F・バックリー（ジュニア）は、一九八五年『ニューヨーク・タイムズ』の悪名高い社説並びのページで、こんな提案をした。

……エイズであると診断された者は誰もが、通常の注射を受ける人を守るために前腕上部に、また他の同性愛者を犠牲にしないように臀部に、刺青を施しておくべきだ。

(Epstein, 1996, p.187)

サンフランシスコのゲイ共同体の中心であるカストロ地区で、当時開かれた集会では、こうした攻撃的雰囲気が濃厚だった。テレビ映画『運命の瞬間――そしてエイズは蔓延した』（ランディ・シルツの書物『そしてエイズは蔓延した』に基づく）に感動的に捉えられているように、ゲイの共同体は、一九七〇年代のゲイ解放運動の最も力強い象徴であった浴場を閉鎖するという苦しい選択をせざるを得なかった。エイズは、新たに解放された人々の制度と価値の中心を、深く抉（えぐ）ったのであった。

草の根の活動家たちの組織が、エイズに関する情報を広げ、またそれとどう戦うかについても周知させるべく、直ちに立ち上がった。検査でＨＩＶ陽性と診断された人々は、実際に発症する前の数年間は普通の生活が送れるはずであるとされた。エイズ救援活動は、人々の生きる心理的、物理的、あるいは政治的環境に適合していたばかりではなく、こうした活動には珍しく、よりよい医療、そして恐らくはよりよい治療を通じて、直接的な患者の福利を約束したのだった。

ゲイの共同体は、科学や医学の世界に対して懐疑的にならざるを得ない状態にあった。ことに同性愛が長い間、医学上の問題として扱われてきたからであった。エイズの世界に入り込むためには、ゲイ共同体は強力な科学的、医学的な制度を相手にしなければならなかった。後に見るように、ゲイ救援活動家たちは、この病気についての的確な情報と治療法を獲得し、また普及させるのに、極めて効果的な働きをすることになった。また彼らは、科学上、あるいは医学上の論議にも一方ならぬ貢献をし、その結果エイズの研究計画が立案される際には重要な役割を果たし、また彼ら自身が時には研究を担いもした。このように非専門家のグループが、ある種の専門的知識を獲得した状況、あるいはそうして獲得した知識を適切に応用した姿というのは、一つの素晴らしい物語である。

この物語は二部に分かれる。パート1ではエイズを巡る科学的な問題が扱われ、また救援活動家たちがエイズ研究に重要な役割を担うに至る道筋を、資料をもとに歴史的に追うことにしたい。パート1は、エイズ治療薬の使用が初めて公式に認可されるところで終わるが、その研究には「非専門家の専門家」たちが決定的な形で参加しているものであった。

パート2では、さらに活動家たちの成功について、とくに「アクト・アップ」という極めて影響力のあるグループに焦点を当てることで、追ってみたい。非専門家たちが、エイズに対して試みられた臨床的な治験のやり方に、徹底的な政治的かつ科学的な批判を加えることができるまで、どのようにして知識を獲得し、それを精緻化していくか、その有り様を明らかにしてみたい。

パート1

二年以内にワクチンができる?

エイズ流行の当初から、誤った情報が流されていたことは明らかであった。エイズの感染経路に関して、公衆の間には道徳的なパニックが生まれた。より重要なことは、治療法の見込みに関して公衆に伝えられた情報は、ひどく誇張されていたことである。ヘックラーの記者会見に同席していた科学者は、彼女が二年以内にワクチンが開発されるだろうと明言した際には、たじろぎを見せた。その当時、ヴィルス性疾患に対してまあまあ効果的なワクチンと言えるものは、たかだか一二種類程度しか開発されていなかったし、最も新しいB型肝炎に対するものも、市場に出回り始めておよそ一〇年というところだった。国立アレルギー・感染症研究所（ＮＩＡＩＤ）の所長アンソニー・ファウチ博士が、ヘックラーの記事が載った数日後の『ニューヨーク・タイムズ』で語っている内容は、はるかに慎重である。

正直なところ、……ワクチンが開発できるものとしても、それが何時になるのか、今は何も言えない。（Epstein, 1996, p.182）

ヴィルスは細胞の核の遺伝コード、つまりＤＮＡの中に入り込んで、そこをヴィルスの生成工場に変えてしまう。結局ヴィルスは、患者の身体の細胞一つ一つの一部になってしまうのだ。この点は細菌類と全く異なる。細菌は身体細胞とほぼ同じ大きさの生物体で、ヴィルスよりはるかに捉えやすく、また抗生物質などの医薬品で処理しやすい。ヴィルスを排除するには、健常な細胞を害することなく、感染してしまった細胞だけを破壊しなければならないことになる。さらに厄介なことには、ヴィルスは細胞内で生成される過程において、遺伝的に変異を起こしやすい。この点もヴィルス性疾患が扱い難いものである理由の一つである。

抗ヴィルス剤の見通し

ＨＩＶが通常のヴィルスと異なるのは、それがいわゆるレトロヴィルスであるという点だ。それはＤＮＡではなく、ＲＮＡからできている。通常の場合、ヴィルスは自らのＤＮＡを設計図に使って、寄生した細胞をヴィルス生成工場にしてしまう。ヴィルス自身がＲＮＡに複製され、それが新たなヴィルスを造り出すためのタンパク質類を合成する。レトロヴィルスが発見された当初、不可解な点があった。レトロヴィルスがＲＮＡだけからできているのだとすると、どうやって自己複製をするのだろうか。答えは「逆転写酵素」と呼ばれる酵素にあった。これはＲＮＡをＤＮＡに複写することを可能にするものであった。この酵素の存在こそ、最初の治療法を生み出すチャンスを与えるものだった。この逆転写酵素を何らかの形で排除するような抗ヴィルス剤が見つかれば、ＨＩＶはその時点で食い止めることができるだろう。幾つかの抗ヴィルス物質がイン・ヴィトロで（つまり生体ではなく、試験管の中で）ＨＩＶを殺す見込みがあると判った。

ＨＩＶに感染しているかどうかは、血液検査で診断できる。感染者は「ＨＩＶ陽性」と言われる。ＨＩＶの症状は、感染後何年も経たないと現れないことも多い。症状が出切ってしまった状態というのは、一連の日和見(ひよりみ)感染症が出現した状態であって、患者の免疫システムが、様々な感染症の病原体に抵抗できなくなることによっている。「ヘルパーT」細胞というのは、こうした日和見感染症の病原体と戦うのに決定的なものであるが、それがなくなってしまうのだ。HIVをイン・ヴィヴォで、つまり生体内で殺せたとしても、それで直ちにエイズに対する治療法が見つかったことにはならない。感染の初期の段階で、T細胞に対する長期にわたる損傷が起こってしまっている可能性があるからだ。HIVに感染すると、まだ定かには判らないルートを通じて、免疫系が侵されるのであって、つまりは免疫系全体が、自分の身体細胞と外部からの侵入者とを区別する能力を失ってしまうのではないか、と考えられている。

いずれにしても、治療への道はまだ長くかかりそうである。抗ヴィルス性の合成物質、人間に安全に使うことができ、しかも致命的な副作用なく臨床的に効果のある物質を見つけなければならない。その有効性は、多数の患者を対象とした対照実験による治療試験によって確認されなければならない。さらに、広く一般に使われるためには、法的な規制をクリアしなければならない。そんな状況であった。

対照実験による臨床治療試験とFDA

サリドマイド事件（サリドマイドは睡眠剤として開発され、また妊婦のつわり症状の改善にも用いられたが、胎児に重篤な副作用があることが判った）以降、米国食品・医薬品局（FDA）は、医薬品が一般使用を認可される前に、広汎な試験を実施することを義務付けた。三つのフェーズの無作為対照試験が定められた。フェーズ1は、毒性と有効性に関して行われる小規模試験である。フェーズ2では、より規模を大きく、また長い期間をかけて、有効性に関する試験が行われる。フェーズ3では、さらに規模が大きくなり、他の療法との有効性の比較が行われる。この過程には費用もかかり時間もかかる。新薬がすべての手続きを終えるには、七年も八年もかかるのが普通である。

一九八四年一〇月、エイズに関する最初の国際会議がジョージア州アトランタで開かれた。その後のこうした会議には、科学者、医師ばかりでなく、ゲイの活動家や報道陣も出席するようになり、毎年歴史を刻んできた。さてその会議で、六種類の見込みのありそうな抗ヴィルス物質に関して、小規模実験が始まっていることが報告された。そのなかの一つは「リバヴィリン」と呼ばれるものであった。しかし、フェーズ1の実験さえ、まだはるか先の話だった。「エイズが予防可能、あるいは治療可能になるのは、まだまだ先のことだ」と、この会議を総括したマサチューセッツ・ジェネラル病院のマーティン・ハーシュ医師は語った。「ただ、そのための第一歩は踏み出したところだ。路線には乗っている」（Epstein, 1996, p.186）。

バイヤーズクラブ

エイズで死に瀕している人やその周辺の支援者たちは、このようなまだるい対応に我慢し切れなかった。有効性や毒性に関する確証がなくても、この恐るべき病気の進行を食い止めるためにできることは何でも試そうとするほど、せっぱつまっていた。そして彼らは、次第に事態を自分たちのやり方で掌握し始めた。リバヴィリンが一箱二ドルでメキシコで手に入るという情報があった。間もなくこの薬やその他のものが、国境を越えてアメリカに密輸されるようになり、それらは広くエイズ患者に売られるようになった。違法な「バイヤーズクラブ」が繁盛し始めた。金持ちのゲイの患者たちは「エイズ移民」となってパリへ移住した。パリでは、アメリカでは未許可の別の抗ヴィルス薬が手に入るからであった。

ロック・ハドソンのような「エイズ移民」の例がメディアで報道されるようになって困惑したFDAは、試験中の抗ヴィルス新薬を、昔からお馴染みの規則のもとで、「特別使用」として認めることを宣言した。これによって医師は、死期にある患者に最後の手段として試験中の薬を使うことができるようになった。

プロジェクト・インフォーム

サンフランシスコ・ゲイ共同体は、こうした活動の中心となった。プロジェクト・インフォームという指導的な活動家による研究グループが結成された。結成者は、ベイ・エリアの経済コンサルタントで、かつての神学生、そしてリバヴィリン密輸業者のマーティン・デラニーであった。このグループの結成目的は、実験中の新薬がどの程度効力があるかを調べることだった。

「医療界の権威が何と言おうと、人々はこうした薬を使っている」とデラニーは、そうした共同体ベースの研究という考え方に懐疑的な記者に語った。「われわれが望んでいるのは、そうした薬にどのような効力があるのか、それを知るための、安全で、十分比較検討のできる環境を提供することなのだ」。(Epstein, 1996, p.189)

デラニーには科学的な素養はなかったけれども、そこで起こり得る論議において鍵となる問題に関して、個人的に十分な知識があった。試験期間中の薬を使ったときに患者が直面するリスクに誰が責任を持つのか、という問題である。医師なのか、患者なのか。

デラニーは、過去に、肝炎の新薬に関する治験に参画したことがあった。その薬は確かに彼の病状に効いたが、彼の脚を司る神経に損傷を与えるという副作用があった。この試験は終わり、この薬を使った療法は認可されなかった。毒性が強過ぎると判断されたからである。しかしデラニーは、肝炎が治ったのだから、その位の「損得取引」は覚悟しなければと考えた（Epstein, 1996, p.189）。

現在、アメリカの治療試験において主流となっているのは、患者を被害から守る、という考え方である。一九七四年に議会は「人間の被験者を保護するための国家委員会」を設置した。人間を対象にした実験研究に関する極めて厳しいガイドラインが、これに付随して設けられた。これは、患者が知らないうちに勝手に実験に供される、というスキャンダルが過去に頻発したことに対応したものであった。なかでも最も悪質だったのはタスキギー梅毒実験というもので、何年間にもわたって、貧しい黒人の小作人たちが治療を拒否されたのだった。この病気を「放っておけば」どのような経過を辿るのか、それを観察するという目的であった。デラニーは、実験的な療法にあり得る被害に関して患者が自己決定する権利を与えられるべきだ、と主張することを通じて、先のようなアメリカの趨勢（すうせい）の逆転を図ったように思われる。

ＡＺＴの治験

患者を実験的な治療法開発プログラムに積極的にコミットさせようとする活動家たちの努力は、一九八五年に頂点に達した。この年とうとう、かなり見込みのある抗ヴィルス物質が発見されたのであった。アジドティミジン（ＡＺＴ）は、もともと抗がん剤として開発された。しかし抗がん剤としては失敗であった。そして長年、バローズ・ウェルカム社の戸棚の中に眠っていた。イギリスの製薬会社ウェルカムの、ノース・キャロライナに拠点を置く子会社である。一九八四年の暮れ、米国国立がん研究所（ＮＣＩ）は、主たる製薬会社に通達を送った。レトロヴィルスを抑制する可能性のある物質は何でも送ってくれるように、とのことだった。ＡＺＴがかぶっていたほこりを払う機会が来た。一九八五年二月、ＡＺＴは逆転写酵素抑制作用を持ち、その結果、強い抗ヴィルス効果を示すことが判明した。フェーズ１の試験が直ちに行われた。一九人の患者を対象として六週間行われた実験で、一五人の患者でヴィルスの生成を阻止し、Ｔ細胞の数を増やし、ある種の症状を緩和するのに役立つことが示された。ヴィルスのＲＮＡをＤＮＡに転写する際に、ＡＺＴは逆転写酵素をだまして、それがあるべきヌクレオチドの場所に、ＡＺＴを使うように仕向けるものらしい。成長するＤＮＡ鎖の中にＡＺＴが取り込まれると、逆転写酵素は働くのを止めてしまい、したがってヴィルスはそれ以上生成を続けられなくなる。ＡＺＴに問題があるとすれば、それは、ヴィルスにおけるＤＮＡ生成を阻止するものである以上、健常な細胞におけるＤＮＡ生成にも有害な影響を持っているかもしれない、ということだった。

ＮＣＩの研究者たちは、結果の報告に当たって慎重だった。「偽薬効果」が疑われたからであった。よく知られた事実だが、患者が本当の薬だと言って偽薬を与えられると、症状が軽快したように感じることがしばしばある。不思議と言えば不思議だが、患者がよく効くと信じている薬を服んだ場合に起こるこうした心理的な効果は、その物質が全く薬理上無効でも、実際に快くなったという感じを抱かせたり、時には本当に快復が見られたりするのである。ＮＣＩの研究者たちの報告する有効性は、ＡＺＴが病気を治してくれるという患者の側の知識や期待から生み出された虚像に過ぎないのではないか。この薬に関する免疫上の、また臨床的な良い効果に注目しつつも、ＮＣＩの研究者たちは、そのなかに強い偽薬効果が含まれている可能性があることを指摘したのだった。そこでＮＣＩは、ＡＺＴの効力をよりよく測るために、長期にわたって二重盲検法に基づく対照試験をすることを求めた。

バローズ・ウェルカム社の資金に基づいて、この新しい試験は各方面に依頼して進められた。この頃になると、エイズ治療薬の試験はより複雑な様相を呈し始めた。一億ドルの寄金を基礎に、NIAIDは、エイズに効くかもしれないと思われる様々な新しい薬（AZTも含めて）の評価テストを行うために、全国的にセンターのネットワーク造りを発足させた。これはすべて、NIAID所長アンソニー・ファウチの統率の下で行われた。新しいセンター類の創設には、それなりの時間がかかる。それに関わる新しい研究計画や主要研究者たちを、一々すべて審査しなければならなかったからである。エイズ患者にとって、時間がかかるということは致命的だった。

エイズ活動家のジョン・ジェイムズは『エイズ治療ニューズ』というサンフランシスコでのニューズ・レターを発刊した。このニューズ・レターは、アメリカにおけるエイズ活動家たちの出版物のなかでも、最も重要なものになった。ジェイムズは、公式には医学や科学の訓練を受けたことのないコンピュータ・プログラマーだった。

『エイズ治療ニューズ』の第三号でジェイムズは、AZTの大規模な研究はまだ何カ月も先のことであり、すべて支障なく運んでも、医師がAZTを処方できるようになるには、さらに二年以上かかるだろう、と書いている。彼は死者を年間一万人と推定し、毎年倍増するだろうと考えられるから、二年遅れるとすると、この疫病で生まれると考えられる死者の四分の三が、この間に実際に死を迎え、しかも防ぎ得たかもしれない死者ということになる。

ジェイムズによれば、ゲイ活動家やエイズ患者支援組織は新しい責務に直面していたことになる。

> これまでのところ、共同体に基礎を置くエイズ組織は、治療法の問題には踏み込まないできた。また、そこで何が起こっているのか、という点についてもほとんどフォローしてこなかった。……独自の情報や分析を通じて、現在行われている治療試験が正当に行われるように、プレッシャーをかけることができる。これまでは、プレッシャーはほとんど存在しなかった。というのも、われわれは、起こっている事態の解釈について**専門家に頼ってきた**からだ。彼らは、われわれに波風を立てるな、と言ってきた。会社は利益第一だ、行政は縄張りが第一、医師は悶着が起こらないことが第一、その連中がずっとテーブルに着いてきた。エイズ患者はその生命が第一だが、その患者もテーブルに着くべきなのだ（傍点は引用者）。
>
> (Epstein, 1996, p.195)

ジェイムズは、エイズ研究者たちが能力がないとか、悪い奴だなどとは考えなかった。むしろ、彼らが、現在進行中の事態について完全で客観的な描図を示し伝えることができるためには、自分たちの専門にあまりにも縛られており、また官僚的な情報源に依存し過ぎているのだ、と考えた。ジェイムズは、非専門家の活動家たち自身が、専門的になり得ると信じた。

非・科学者であっても、治療法の研究の問題については比較的簡単に全貌を摑むことができる。こうした問題は、生物学や医学の高度な素養を必要とはしないのだ。(p.196)

後に見るように、このジェイムズの楽観的姿勢は、決して全くの間違いとは言えないことになった。

そうこうするうちにAZTのフェーズ2試験が始まった。一九八六年九月二〇日、予定よりも早くそれが終わったとき、その主要な結果はニューズ・レターのトップを飾った。AZTの効果は歴然としており、対照グループに対して偽薬を与えることが倫理に反するとさえ思われるほどだった。保健福祉省次官のロバート・ウィンダム医師は、AZTが「ある種のエイズ患者に対してはその延命に極めて効果が期待できる」と記者に語った(Epstein, 1996, p.198)。またできるだけ早くAZTに認可を与えることを考慮するように、FDAに働きかけた。FDAとアメリカ国立衛生研究所(NIH)の支持の下で、バローズ・ウェルカム社は、これまでの一二〇日間に最も悪質な感染症、とくに悪性の肺炎(PCP)にかかったエイズ患者に対しては、無償でAZTを提供すると宣言した。しかしエイズ患者や、このような患者の選別が恣意的に過ぎると考える医師たちがかけたプレッシヤーのために、このプログラムは、どの段階であってもＰＣＰにかかっている七〇〇〇人の患者のすべてを対象にするように拡張された。

一九八七年三月二〇日、フェーズ３の試験抜きで、また最初の試験が始まって僅か二年で、ＦＤＡはＡＺＴの使用を認可した。一人の患者に対するＡＺＴ療法の費用は年間で八〇〇〇ドルから一万ドルになった（つまり裕福な西側諸国でしか利用できないことを意味していた）し、バローズ・ウェルカム社がこの薬のおかげで巨万の利益を上げたことは疑いない。

つりあいをとる

ＡＺＴのフェーズ２の試験を早めに終えるに当たって、研究者たちはディレンマに直面していた。一方では、そうすれば人々がＡＺＴを早く手に入れることができるが、他方では対照試験による長期間の摂取の影響を判定する機会は失われるからであった。臨床的な対照試験の場合に、投薬した場合としない場合の二つの選択肢の、どちらがより良い療法であるかについて不確定な状態であれば、「つりあいをとる」という方法に委ねられる。ある療法が他方よりも明確に優れているのであれば、なお試験を続けるのは倫理に反する。ＡＺＴのケースでは、ＮＩＨのデータでも、また安全性チェック委員会でのデータでも、フェーズ2の結果は早くから「明白」と言ってよかった。彼らは「つりあいをとる」必要はないと結論した。統計が示した結果は、この試験の二つの選択肢の間にはっきりした臨床的な差があったからである。

「つりあいをとる」という方法は、理念という点では健全に思われるだろうが、実際にそれを実行するとなると、簡単とは言い難い。本当の意味でどちらともつかない、というような事態に研究者が直面するのだろうか。対照試験の最初で、すでに問題の薬の効果についてある程度の証拠があるはずであって、そうでなければそもそも試験などにかけないはずだ。このディレンマに遭遇した著名な例はジョーナス・ソークだった。ソークは自分の開発した新しいポリオ・ワクチンの働きを確信していたので、二重盲検法による偽薬実験を行うことに反対したのだった。そんなことをしている間にも、ポリオにかかる人が確実にいるのだ、というのがソークの意見だった。ソークのこの見解は他の研究者からは批判された。そうした試験を省けば、医師や科学者たちの間に、そのワクチンに対する広汎な信頼性を獲得することはできないだろう、と考えたからである（Epstein, 1996, p.201）。「つりあいをとる」という考え方は明らかに、一つの医薬品についての信頼性を巡っては、複雑な社会的、政治的な判断を含んでいることを示している。さらに、そうした判断は、研究者によって、患者の利益のために、下される。

死者統計のなかの患者

臨床試験における患者というのは、単なる受け身の被験者ではない。アメリカにおいては、臨床試験は、実験中の新薬を早く試してみたいと願う患者によって利用されてきた。エイズ活動家たちが、実験室を出るか出ないかのうちから新薬に関する情報を色々手に入れて流してくれたおかげで、エイズ患者たちは、エイズ臨床試験に参加させるように関係者に激しく迫ったのである。

ＡＺＴに関して、エイズ活動家たちにとってとりわけ二つの要素が問題だった。対照グループの方は結局偽薬を投与されるわけだから、最終的には、その治験が成功か否かは、その試験において偽薬を与えられたグループにおける死者の総数が、ＡＺＴを与えられたグループのそれを上回る、ということにかかっているに等しい。歯に衣着せずに言えば、治験の成功のためには、十分な数の患者が死ぬことが必要になる。活動家たちは、このような試験は非人道的だと考えた。もう一つの批判は、こうした研究の極めて厳密な手法に関するものだった。実験参加者は、問題の薬以外の他の治療を一切許されないからである。激しい日和見感染が予想され、それを予防するための薬を投与することさえ、許されないのである。

こうした研究に携わる研究者たちは、偽薬を利用するのは、新薬の有効性を突き止めるための最も手っ取り早い方法であり、長い目で見れば、それで多くの生命が救われることになるのだと力説した。新薬に都合の良い主張がなされながら、後に無作為の対照実験によって無効だったり、さらには有害だったりすることが暴かれた事例も引き合いに出された。これに対して、活動家たちは、偽薬を使わないような対照試験の方法もあり得ることを指摘した。例えば、投薬されているグループのデータを、それに見合った他のエイズ患者グループのデータと比較してもよいし、研究対象の患者をそれぞれの過去の医療記録と対比させてもよいではないか。こうした方法は、がん研究では取り入れられる機会が増えている。

絶望的な環境の下で、患者にヤミで薬を提供するという事態が増大する一方なので、正確に統制された臨床試験を実施しようという理想的なシナリオは有名無実化するようになった。研究者たちは「相互の信頼関係」を確保すべく、独立のテストをしている（つまり、禁じられている治療を受けないように監視する）とし、患者は概ね定められた手続きを遵守していると主張したが、エイズ治験の現実は、とてもそんなことでは済まなかった。

……噂は色々なところから流れ込んできた。患者のなかには、偽薬を摑まされるリスクを減らそうと、他の実験の被験者と薬を貯めておくという挙に出た。マイアミでは、患者はカプセルをうまく開ける方法を会得し、中身の味を見て、苦ければＡＺＴ、甘ければ偽薬という具合に区別しようとした。バローズ・ウェルカム社の研究主幹であるデイヴィッド・バリー医師は、偽薬による対照試験において、被験者がカプセルを開けるなどということは前代未聞のことだ、と信じ難い面持ちで語り、直ちに薬剤師に命じて、偽薬の味をＡＺＴと全く同じにするように処置を命じた。ところがマイアミやサンフランシスコの患者たちは、それではというわけで、地域の化学者に頼んで薬の内容の分析をしてもらうという具合だった。

(Epstein, 1996, p.204)

医師－患者関係を再定義する

医療関係者の間では、「患者との信頼関係が造れない」ということは長年の問題となってきた。しかしエイズ患者との間で起こっていたことは、もっと革命的だった。エイズ患者、あるいはより好まれる呼称である「エイズとともに生きる人々」は、医師‐患者関係を見直し、対等のパートナーという方向へ変えようとしたのだった。六〇年代、七〇年代のフェミニストによる健康に関する自助運動が、すでに獲得できるものの何たるかを示していた。ゲイ共同体内部のゲイの医師たち（なかにはＨＩＶ陽性者もいる）の多くが協力した結果、こうした見直しは医師、患者の双方にとって利益になると考えられるようになった。

こうした新しいパートナーの関係は、まず患者が生物学や医学の言葉を習得することから始まる。多くの患者は十分教育を受けた人々（必ずしも科学の領域ではないにせよ）だったので、その点は明らかに幸いした。一人のエイズ患者がことの成り行きを記述しているので、それを紹介する。

……私は日毎に実地にのめり込んだ。あらゆる医師たちを質問責めにした。専門的過ぎて判らないという説明はなかった。たとえ次から次へと知っている限りの医師に電話をかけなければならなかったとしても。学校では、文学にしか関心がなかったので、理科ではどの教科でもC以上の成績をとったことはなかった。ところが今は医学進学課程の学生と同じで、Aをとることで頭が一杯だ。日に日に専門的知識と生のデータが私の会話のなかに増してくる。（Epstein, 1996, p.207）

同じことの成り行きを医師たちはどんな風に見ていたか。

ある若い男に、さあ胸に点滴を入れましょうね、と言うと彼はこんな風に答えるのだ。「ああ、先生、でも僕は鎖骨下動脈に灌流装置を挿入するのはいやだなあ」。そしてそれ

は、医師がしようとしていることの学問的に正確な表現なのである。（p.207）

エイズ患者が自分の病気について情報を獲得すればするほど、臨床試験における彼らの役割を、「患者」もしくは「被験者」とするよりも、「研究協力者」として考えたくなってくる。

活動家たちの偽薬試験に対する批判は、一九八七年に再燃する。この年、ＡＺＴや他の抗ヴィルス剤が、何らかの症状が出る前の段階で、当初考えられていたよりもはるかに有効であることが判ってきたからである。多くの臨床試験は、当初はＡＺＴの投与と、対照グループには偽薬を使うことで始まった。こうした試験を実施する研究者は、この場合に偽薬を使うことへの批判を感じてはいたが、ＡＺＴが持っているかもしれない毒性で埋め合わされると考えた。ＡＺＴの効果については判然としない一方、研究で偽薬を与えられる側では、ＡＺＴに含まれるかもしれない毒性を免れるのであって、その点では被験者の健康にとって悪くはない、というわけであった。しかしエイズとともに生きる実験参加者は、そうは考えなかった。とりわけ、彼らは治験中に、通常の他の治療を受けられないという事情があった。自分が偽薬のグループにいることを知ったある人は、こんな風に言っている。

とんでもない話だ。俺は自分の体を科学研究に捧げるつもりなんかない。連中のやっていることが、結局そういうことならばだ。ただ手をこまねいて、俺がＰＣＰだか何だかになるのを、何も治療されずに待っているなんて。（p.214）

この人物は、実験の続いている間に、エイズ地下組織が密輸した、禁じられている薬を服んだと、平気で述べている。地域の医師たちは、こうした試験での手続きを厳密に守るという名目で、重篤な患者が何の医療も受けられない、という事実に驚きを隠さなかった。こうした医師たちは、治験のなかで患者であるのか、被験者であるのか、というディレンマから活動家たちがどうにかして抜け出そうとする際に、さらに同情的な姿勢で臨むようになった。

共同体ベースの治験

患者団体と地域の医師とは、簡単と言えば簡単、革命的と言えば革命的な解決に到達した。彼らは協力して自分たちの治験を構想し始めた。この構想は、公的な治験に付きまとう官僚主義的な時間の無駄を省くものだった。偽薬を使うという倫理的に怪しからぬ行為と考えられるものも無しで済ませる。そして医師と患者との密接な協力関係のゆえに、医師‐患者の間にははるかに良好な信頼関係が確保できる可能性があった。一九八〇年代半ば、二つの共同体ベースの組織（一つはサンフランシスコ、もう一つはニューヨーク）が、公的な機関の疑問視するなかで、新薬の治験を開始した。こうした企画は、ハイテクの医療設備など必要としない小規模な研究にぴったりだった。こうした目論見は、NIAIDの公式テストが遅々として進まないことに業を煮やした製薬会社の間にも、思いがけぬ連帯の絆を得た。

このような共同体ベースの治験の最初の成功例は、PCPに対するペンタミジン噴霧剤のテストであった。NIAIDはこの薬のテストを行ったが、準備段階で一年以上を費やしてしまっていた。その間活動家たちは、NIAIDの所長ファウチに、この薬の認可についての連邦ガイドラインを早く起草してくれるように説いた。ファウチはこれを拒んだ。その効力についてのデータが不足しているという理由だった。活動家たちは、ファウチとの会見から戻るや、「テストは自分たちでやらねばなるまい」と宣言した。そして実際にやってのけた。NIAIDからの資金援助を拒み、偽薬は一切使わずに、サンフランシスコとニューヨークの組織は、この薬の試験を行った。一九八九年、共同体ベースのグループによって得られたデータを慎重に分析した結果、FDAはペンタミジン噴霧剤の使用に許可を与えた。これは、この政府機関が完全に共同体ベースの研究成果に基づいて薬を認可した歴史上最初の例となった（Epstein, 1996, p.218）。

活動家たちが、製薬会社や規制緩和論者との取引上、手を結んで、ＦＤＡに対して圧力をかけ続けたことは間違いがない。しかし、この出来事のどこにも、活動家の得た科学的な成果を曲げるようなところはなかった。そして彼らの得た科学的成果は、科学上の専門性をどのように考えたらよいのか、という点で極めて示唆に富んでいる。非専門家のグループとして彼らは、エイズの科学について十分な知識を得るまで専門的な勉強をしただけではなかった。彼らは医師たちの助けを借りながら、ことに介入し、自分たち自身の研究を実行することができるまでに成長した。それだけではない。彼らの研究結果は、アメリカの最も強力な科学的、かつ法的機関の一つであるＦＤＡから信頼されるものとなったのである。

ここまで、活動家たちの取り組みの歴史を辿り、彼らの最初の重要な成功を資料をもとに振り返ってみたわけだが、次にパート2において、活動家たち自身の専門性がどのように臨床試験の科学のなかに必要とされるようになったか、その点を述べてみよう。臨床試験に対する活動家たちが行った根本的な批判は、やがて見るように、最終的には確立された考え方となった。こうした試験をどのように運営するかという点で、医療界の見解に顕著な変革をもたらすきっかけともなった。

パート2
アクト・アップ

一九八〇年代の半ばに、一つの新しいエイズ活動家組織が舞台に登場した。アクト・アップ(AIDS Coalition to Unleash Power,「力を解き放つためのエイズ連帯」の頭文字を連ねた)である。アクト・アップは間もなくサンフランシスコ、ニューヨークだけでなく、全米の大都市に支部を持つようになった。一九九〇年代までに、ヨーロッパ、カナダ、オーストラリアなどの都市にもアクト・アップと同じグループが生まれ、単一のグループとしては、最も活動的なエイズ関連団体となった。

アクト・アップは過激な街頭戦術、「半端じゃないやり方」をとった。その典型的な一例は、一九八八年秋、ハーヴァード医学校の授業開始の当日にアクト・アップが組織したデモである。白衣を着、目隠しをし、鎖を持ち、歩道に偽装血液をまき、「ハーヴァードの言う〝良い科学〟なるものに挑戦するためにやってきた」というシュプレヒコールとともに、活動家たちはハーヴァードの学生たちに、エイズ101という偽講義の概要を説明したのだった。そこで扱われるトピックスは次のようなものだった。

・PWA（「エイズとともに生きる人々」の頭文字）は人間かモルモットか。

・AZTは何故あらゆる研究の九〇パーセントを占めているのか。毒性が高く治癒力も少ないというのに。

・「ハーヴァードで行われる臨床試験」で、被験者は本当に自発的参加者か、それとも強制されたものか。

・「医学におけるエリート主義」で立派な科学を追求することは、われわれの地域共同体を破壊することに繋がらないか。

(Epstein, 1996, p.1)

アクト・アップの政治的メッセージの一つは、エイズが無視と放置による一種のジェノサイド（大量殺戮（さつりく））だということだった。レーガン政権の無関心と頑固さのゆえに、エイズは、目立つ療法としては毒性の高いAZT以外には見当たらないままに、拡大を続けている。アクト・アップの最初の標的の一つは、FDAだった。彼らは「連邦死機関」（FDAは正式にはFood and Drug Administrationの略だが、これをFederal Death Agencyともじった）と呼んだ。抗議キャンペインの頂点は一九八八年一〇月だった。このときは一〇〇〇人のデモ隊がFDA本局に結集した。二〇〇人がゴム手袋を着けた警官隊によって検束された。その後のメディアの関心の高まり、あるいはFDAとの交渉経過などから考えて、このとき初めてアメリカ政府は、活動家たちの主張の重要性と正当性を認識したと思われる。

例えば動物の権利を守ろうというような他の活動家の抗議行動と違って、アクト・アップは科学界を敵とは見なかった。公的には巧妙に仕組まれた抗議行動で圧力をかけはしたが、裏では科学者たちと提携し、あるいはともに議論をすることに躊躇しなかった。実際、彼らが次に目を向けたのは科学者たちだった。FDAは世論を動かすためのシンボル的な意味があった。しかし、本当に大切なのは、NIAIDやNCIに食い込み、臨床試験をもっと違ったやり方で行うように科学者を説得することだった。つまりFDAの言う「良い科学」と連繫(れんけい)することだった。

良い科学とは

『エイズ治療ニューズ』は一九八八年に新しい方針を明らかにしたが、それは「今後より重要なことは、どの治療法が実際に効果があるのか、証拠となるデータをどのようにしたら迅速に、かつ効果的に集め、評価し、応用できるか、というところにある」というものだった（Epstein, 1996, p.227）。

続く三年間、活動家たちは三つに分かれた戦略を進めた。（一）新薬の認可に関してFDAにその促進を求める。（二）臨床試験以外のところでの新薬の入手を拡大する。（三）

治験の方法を改革させ、「より人間的で、より適切、かつより信頼性の高い結論を出し得る」ようなものに改善させる。(二)と(三)は、治験についてのそれまでの定型的な考え方から脱却することを示していた。臨床試験に参加者を誘い込むそれまでのやり方は、言わば利益誘導的な効果を条件とすることだった。つまりその新薬は、この試験以外には決して手に入らないよというわけである。これに反してエイズ活動家は、臨床試験において生まれる多くの困難の原因が、そこにあると考える。デラニーは言う。

治験の外部には薬は出さないという政策は……臨床試験をわれわれの手で行うことの可能性を奪うものである。……全米のエイズ研究センターは、他の療法が広く併用されていると述べているが、しばしばごまかしがある。研究に参加することは利益誘導的な利得である。偽薬に当たるリスクをみなで分け合い、あるいは薄め合うために、薬は色々な患者同士の間で混ぜられる。偽薬に当たっていることが判った人は、さっさと実験から下りる。……こうしたやり方は、治療に対する唯一のオプションとして、臨床試験を用いることを患者に強要するところから来る直接の問題である。……患者が他の治療手段を与えられているならば、臨床試験に患者を無理に引っ張り出す必要はないはずである。残った自発的参加者ならば、純粋に実験の被験者として行動してくれるようになるだろう。自分の生命を何とか繋ぎ止めたいとする絶望的な努力から解放されて、実験に参加できるからだ。

(Epstein, 1996, p.228)

これはすっきりした議論である。臨床試験を拒否するというのでなく、より信頼のおける結果が得られるような新しい方法を提案しているからである。この議論を推し進めると、科学者と医学者の専門領域に益々入り込んでいかねばならないことになる。結局、活動家たちは治験を改善するにはどうしたらよいかを、医学の専門家たちに提案しなければならなくなったのである。

すでに指摘したように、活動家たちは多くの場合、科学的素養のないところから出発した。驚くべきことだが、彼らはたちまちのうちに新しい評判を手に入れることになった。彼らは専門の医師や科学者たちから、エイズとその治療法に関しては驚くべき知識と専門性を身につけている、と見なされるようになったからである。現場の医師は、そうした新しく生まれた専門家に最初に出会うことになった。間もなく活動家たちは、医師が自分たちに助言を求めるようになっていることに気付いた。ニューヨーク市バイヤーズクラブの会長は、次のように述べたと記録に残っている。

われわれがことを始めたとき、ニューヨークの都市部で、われわれに一顧でも与えてくれる医師といったら、せいぜい三人だった。……それがどうだ。今は毎日一〇回以上

電話が鳴る。次から次へと医師たちが助言を求めてくる。この私にだ！　私はオペラ歌手として育ったんだ。（p.229）

もちろん活動家のなかには、医学、科学、あるいは薬学の教育を受けた人もいた。そうした人々は次第に運動のなかで、素人のための先生として欠かせない存在になった。しかし運動の中心的な人々の多くは、科学については全くの素人であった。アクト・アップのニューヨーク支部、治療とデータ委員会の指導者マーク・ハリントンは、他の多くの活動家同様、人文系の素養しか持たなかった。アクト・アップに入る前は脚本家であった。

私が育った過程のなかで、科学に関係があるかもしれないと思われるものは、父親がいつも『サイエンティフィック・アメリカン』誌を予約購読していたことだ。私はいつも読んでいた。だから多くの人が感じるらしい科学への疎外感を、私は感じたことがなかった。（p.230）

ハリントンは、一晩徹夜をして、理解しなければならないと思われる学術用語のリストを造った。これは後に、アクト・アップのメンバー必携の五三ページにわたる術語集になった。

他のメンバーの多くは、当初、医学の学術用語に出会ってお手上げと感じた。しかし、彼らがしばしば言っているが、ちょうど未知の文化や言語を学ぶのと同じように、十分時間をかければ、次第に身近なものになってくる。サンフランシスコの活動家ブレンダ・ラインが、アクト・アップの地域集会に初めて出席したときの有り様を述べたものを引用してみたい。

そこで私はドアを開けましたが、全く圧倒される思いでした。頭文字語が空中を飛び交い、何を話しているのかほとんど一語も判りませんでした。ハンク(・ウィルソン)が入ってきて、一フィートほどの高さの資料を手渡してくれました(顆粒体マクロファージ・コロニーの活性化因子に関するもの)。そして言いました。「さあ、これを読んでおいて」。眺めてみました。家へ持って帰りました。自分の部屋まで持ち込みました。……一語も判らなかったと言わざるを得ません。でも一〇回ほど読んだ後で、……ああ、これはサブカルチャーの話なんだ、そうよ、サーフィンか医学かてなもんよ。隠語さえマスターしちゃえば。終わりまでちゃんとやれば大したことない。それで一旦判り始めると、ちっとも怖くなくなりました。(p.231)

活動家たちは科学と馴染むために、ありとあらゆる方法を使った。学会に出席してみる、研究手引書を読む、運動の内外にあって運動に同情的な専門家から学習する、など様々だった。ここでとられた戦術は学習だった。ある活動家は「手当たり次第」と呼んだが、まず、ある特定の研究トピックから始める。そして薬理を学習し始め、そこで必要とされる基礎的な科学を学ぶという方向に進む。活動家たちは、学術雑誌や学会発表場での言葉を話すべきだ、ということを、自分たちが効果的に参画するために不可欠の要件であると考えていた。言い換えれば、確立している専門家の世界に専門家のベースで挑戦しなければならないと考えていたのである。この点で活動家たちは極めて影響力があった。研究者の方が、彼らのやや常軌を外れた外観に慣れてくれさえすれば、の話であるが。活動家ブレンダ・ラインの参画について、エプスタインは次のように述べている。

もう一度ラインの話である。「ええと、片方の耳に七つイアリングしてモホーク刈りでね、きったならしい古いジャケット着てね、入って行ったのよ。みんなは〝あああ、また無知蒙昧の街の活動家が一人来た〟くらいの反応でね……」。ところが彼女が一旦口を開いて、そこでの会話に知的に貢献できることが明らかになると、研究者たちは、しぶしぶではあっても、彼女の関心にある種の真摯さを示すように変わっていくのだった。(p.232)

あるいは、次のように臨床試験の指導的な権威の一人が述べている。

> 五〇人ばかりの活動家たちが現れた。彼らは時計をそれぞれ取り出し、それを振りかざして、時間が彼らのために切迫していることを訴えた。……ニューヨークのアクト・アップ・グループが、私の書いたものをことごとく読んでいたことは間違いない。……そして、引用されるものは、彼らの言いたいことを適切に表現していた。これはちょっとした体験であった。(p.232)

エイズ関連の科学者のなかには、最初の出会いでは活動家に敵意を見せた人もいたことは確かである。HIV発見者の一人ロバート・ギャロは、次のように言ったと報じられている。

> アクト・アップであろうが、アクト・アウトであろうが、アクト・ダウンであろうが、まあ何でも結構だが、君たちが物事を科学的に理解していないことは確かだね。(p.116)

ギャロは後に、活動家マーティン・デラニーのことをこんな風に述べている。「全くのところ、私の人生で、どんな領域でも、とにかく出会った人間のなかで最も印象深い人物……彼を実験室で使いたいと思う人は私の周囲には少なくない」。ギャロは、何人かの、治療に関して活動家たちが獲得した科学的知識のレヴェルについて言及して、「信じられないほど高い」と言っている。「どれだけ彼らが知っているのか、またそれを理解するのにどれほど彼らが優れた知力を持っているのか、時に驚嘆させられる」(p.338)。

連帯を獲得する活動家たち

一九八九年までに活動家たちは、彼らの問題に関して最も権威のある科学者たちを説得し始めた。NIAIDの所長のアンソニー・ファウチもその一人である。彼との対話が始まったが、ファウチは『ワシントン・ポスト』紙に次のように語っている。

最初のうち、こうした人々はわれわれに総じて敵意を抱いていた。そしてそれはお互い様であった。科学者たちは、治験は外に漏れてはいけないものであり、厳密な手続きに則り、慎重に進められるべきであると考えた。ゲイ・グループは、われわれが官僚主義で彼らを殺しつつあると主張した。夾雑物(きょうざつ)が除かれてみたとき、われわれは、彼らの批判の大部分が決定的に正当であると判ったのであった。(Epstein, 1996, p.235)

活動家の議論の重要さは、一九八九年にモントリオールで開かれた第五回国際エイズ会議の席上で現実のものとなった。開会式で抗議の論争があり、とくに利益獲得に狂奔する製薬会社へのデモがあり、医薬品規制や臨床試験などに関する彼らの見解を掲げた公式ポスターの掲示もあった。指導的活動家たちはファウチに面会し、「並行方式」という彼らの動議へのファウチの支持を取り付けた。この方式の下では、治験に参加することに消極的な患者にも新薬は入手可能になり、同時に治験はそのまま進められることになる。科学者たちは、それでは治験に参加してくれる患者が減ってしまうと憂慮したが、この並行方式が軌道に乗った後も、治験に参加する患者は絶えなかった。

活動家たちは、無作為対照試験を運営するための公式ルールの幾つかに対しても、疑義を呈していた。決定的な突破口は、やはりモントリオールの会議で現れた。そこにニューヨークのアクト・アップが、NIAIDの治験を批判した特別の資料を用意したのである。治験に関する主任生物統計学者スーザン・エレンバーグは、モントリオールでこの資料に出会ったときのことを、次のように回想している。

私は中庭の方に歩いていったが、そこにこのグループがたむろしていた。マッスル・シャツを着て、イアリングを着け、妙な髪型の連中だった。私は怖気づいた。彼らに近

づくには勇気を奮い起こさなければならなかった。（p.247）

エレンバーグはしかし、その資料を読んでみた。そして驚いたことに、活動家たちの論点の幾つかは、自分が同意できるものであることを発見した。研究室に戻った彼女は、医学統計学者を集めて、その資料をさらに検討するための集会を開いた。彼女の発言である。

私の生涯のなかで、こんな集会は初めてだった。（p.247）

その集会のもう一人の参加者は、こんな風に言っている。

窓の外からわれわれの集会を覗いた人は、われわれの話していることが聞こえなかったとしたら、それが統計学者の集まりで、治験がどうあるべきかを話し合っているとは、とても信じられなかっただろう。非常な興奮が支配し、意見の幅も驚くほど多様だった。（p.247）

活動家たちの見解にひどく動かされた統計学者たちは、アクト・アップや他の地域の組織のメンバーを、この統計学者の集会に定期的に招くようになった。臨床試験のどろどろした現実を考慮に入れた、「プラグマティックな」治験の方が学問的により望ましいか、という点が争点になった。結局、生物統計学者たちの間に長年争われてきた問題、つまり臨床試験は「徹底的に厳密」であるべきか、それとも「現実を見据えたもの」であるべきか、という問題に、活動家たちは踏み込んでいたのである。「現実を見据えた」臨床試験は、それが本来現実の世界のいい加減さを反映し、また通常の臨床試験の患者たちが非同質的であることを前提として成り立つものである。こうした現実に基づく考慮という点では、抗がん剤に関する治験を経験した生物統計学者なら、すでにお馴染みのものである。抗がん剤の場合は、治験の方法論に関して、従来とは異なった、もっと柔軟な考え方が制度化されていた。徹底的に厳密なやり方は、「理想的」設定を好み、対象となる被験者も同質的なグループを使う。こうした場合に起こる問題は、そうすればなるほど明確な判定を下せるにしても、その判定結果をそのまま現実の医療現場に当てはめることは難しくなるという点である。現場では、患者は色々な種類の薬を混ぜて服用していることが多いからである。

非専門家の専門性

こうした活動家たちは、どんな専門性を持っているのだろうか。彼らは専門性など持たず、政治的な腕力だけしか持たないのだろうか。科学者は自分たちの仕事に政治が介入することを避ける傾向にある。とくに科学に素養のない部外者からの介入にはそうである。提供すべき専門性が何もないままに、活動家たちが政治取引をしようとしても、科学者の同情は減るばかりである。

活動家たちが成功したのは、彼らに提供すべき真正の専門性があったからであり、彼らは自らの専門性にものを言わせたからであった。エイズとともに生きる人々が何を求めているかという点についての長い経験の積み重ねから、彼らは被験者が治験に参加する理由についても、またどうすれば実験手続きと折り合いをつけるよう説得できるか、という点についても、熟知していたのであった。ファウチは次のように述べている。

> 患者の共同体のなかでどうやればうまくいくのか、という点についての恐るべき洞察力、……意味のある治験というものについての、研究者よりも優れた感覚……。
>
> (Epstein, 1996, p.249)

活動家たちはまた、とくに重要な果たすべき役割を持っていた。それは、人々にＨＩＶやエイズに関して、それぞれの治験の賛否両論を説明するという、仲介の役割だった。しかし、専門性はそれだけではない。科学の用語を学ぶことによって、臨床試験の従来の方法論に潜在する批判へと、自分たちの経験を翻訳することができたという点がある。科学者が理解できるような形に自分たちの批判を造り上げることを通じて、彼らは、科学者をそれに対処せざるを得ないところへ追い込んだのであった。この点こそ、6章で論じた牧羊農夫たちがなし得なかったものであった。活動家たちは幸運だった。というのも、彼らの関心事を公にしだしたちょうどその頃、何人かの生物統計学者たちが次々に同じような結論を引き出し始めたからである。

活動家と科学者との出会いに関する最も面白い点の一つは、両者の間にギヴ・アンド・テイクが成り立ったことである。例えば、活動家たちが臨床試験に関して細かいところまで勉強すればするほど、彼らは、ある状況においては、なるほど偽薬が重要な役割を果たすのだ、ということも悟り始めたのであった。かくてエイズ活動家の一人、ジム・エイゴは、一九九一年に開かれたパネル・ディスカッションにおいて、自分はもともとは偽薬など必要ないと考えていたが、今は状況によっては、例えば短い期間内に重要な問題に関して急いで結論を出さなければならないような場合には、それを利用することに利得があることを認めるようになった、と述べた。

エイズ活動家は「現実の世界のいい加減さ」に根ざした臨床対照試験のモデルを受け入れる一方で、現場の研究を行う経験を通じて、軟化する人々も現れた。プロジェクト・インフォームのマーティン・デラニーは、問題の多い臨床試験を偽薬を使わずに行ってみた後で、こう言っている。「結論を出すには、前に考えていたよりもはるかに長くかかる、というのが本当のところだなあ」(Epstein, 1996, p.258)。

老いた犬に新しい芸を仕込む

臨床試験をもっと患者の立場に立ったものにする必要がある、という活動家たちの主張が成功したのは、一九九〇年のことだった。このとき『ニューイングランド医学雑誌』の投稿欄に、二つの記事が相次いで掲載されたのである。第一は、ある優れた生物統計学者のグループによるもので、FDAの認可手続きのフェーズの規定を再編すべきだと論じ、臨床試験における被験者の同質性は求めるべきでないこと、また被験者の参加基準をもっと緩やかにすべきであることなどが主張されていた。そして、臨床試験の計画の段階で患者に参加を求めるべきだと結論していた。二つ目の記事はスタンフォードの著名なエイズ研究者の投稿で、「老いた犬にも新しい芸は仕込める——エイズ治験が新たな戦略を切り開きつつある」という表題であった。この記事でも同じようにより柔軟な方法が取り上げられ、また治験のどのグループの患者も利益を得られるようにする方法が記載されていた。医療倫理学者たちは直ちに、このエイズ治験のやり方に関する新しい考え方を支持することを表明した。そして実際のところ、治験はもともと活動家の提案した手続き規定に従って実施され始めた。もう一つの勝利は、ＮＩＡＩＤが治験参加の被験者グループの異質性を増すような募集方法をとり始めたことだった。

次のエイズ会議では、それまでに活動家たちがエイズ研究の世界できちんと受け入れられるようになっていたために、彼らは会場の後ろに陣取って叫び立てるのではなく、壇上で発言するようになった（Epstein, 1996, p.286）。会議における講演のなかで、アンソニー・ファウチは次のように述べている。

> 臨床試験に関して触れるならば、多くの科学者が想像できないほど改善された形で行われている。
> （Epstein, 1996, p.286）

しかし、活動家たちが科学の言語を話すようになったことから得られた成功は、皮肉な結果をも生んだ。活動家の新しい世代が、古い世代の人々から疎外されていると感じるようになったのである。明らかに「非専門家の専門家」と「正真正銘の非専門家」との間に亀裂と緊張が生じた。ニューヨークのある活動家はこう語っている。

> ……学習曲線という点で人々は千差万別だった。……だってエイズ持ちで、エイズについては沢山知っている人がいるでしょう。だけどその人はエイズ研究については何も

知らない。ね、まるっきり知らないんだ。臨床試験なんて見たこともない。臨床試験が行われるような都会に住んでるわけでもない。そんな人がいる一方で、マーク・ハリントンだ、マーティン・デラニーだなんて人がいるわけでしょう。（p.293）

専門性から来るこの離間は、まさにわれわれが科学のゴーレム・モデルを提案した際に、考えたものである。専門性というのは実地で苦労して獲得するものである。エイズに罹患した人々のなかには、エイズに関して専門家になる人もいるだろう。何しろ、自分の生命に関わるのだから。しかし、そういう人がみな臨床試験の実施に関する専門家になるわけではない。科学者の関心を集めることができるのは、活動家の特殊な専門性である。そして新しい活動家が仮に何らかの影響力を持ち得るとすれば、そこでは彼らも専門家にならなければならない。

エイズ活動家たちのなかには、エイズの科学にのめり込んでいくにつれて、とくに治療法の問題になったときには、「科学者よりももっと科学的」（とでも言えばよいのか）になる人がいる。ある著名な事件に際して、何人かの名の通った活動家たちは、指導的なエイズ研究者を厳しく攻撃したが、それは、サンプルを事後にもう一度サブ・グループに繰り入れて、それで何がしかの主張を導いた、という非難であった。活動家のなかには別の療法を認めるのを拒否した者もおり、科学を正式に勉強しようと医学校に入り直した者もいた。

活動家といっても等質的な集団ではない。異なったグループ間、あるいは一つのグループの中でも、離間や緊張は必然的に起こる。ニューヨークの活動家グループは、サンフランシスコのそれに比べて、正統的な科学との繋がりが強いように思われた。しかし、ニューヨークの活動家といえども、エイズとともに生き、エイズによって死に赴く人々の共同体内にある限り、彼らの専門性の中核の部分は「非専門的」なものとして大事にした。医学の専門家なら、自分がエイズに罹るかゲイ共同体の一員になるか、でもしなければ金輪際望み得ないような何ものかを、活動家たちに与えてくれたのが、患者の世界での様々な経験であったからである。

活動家たちは一九九〇年代に入って、他の領域、例えば治療法の組み合わせに関する議論や、エイズの進行度を測るための代替マーカーの役割についての議論などに貢献を続けてきたが、彼らが最も目覚ましい勝利を得たのは、やはり臨床試験の領域である。その結果、一つの非専門家のグループが、臨床試験の科学的実施要領を再編することができたのであり、治験に対する考え方ややり方を改めることができたのである。

この成功は、科学が資格のある科学者たちだけの独占物でないことを、われわれに教えてくれる。非専門家は専門性を獲得できるだけでなく、場合によっては、ふさわしい尊敬を受け取るような専門性を獲得できるのである。科学・技術を専門性の形式として扱うことは、とりわけ原理的には他の専門性の形式と類似のものとして扱うことは、非専門家の専門性がどのようにして可能なのか、という問題理解に導いてくれる。非専門家は、配管工事や大工仕事、法律や不動産に関して専門性を獲得できるが、それと同じように、少なくともある種の科学・技術の領域では専門性を獲得できる。そして科学・技術のある領域では、資格のある専門家よりも、より適切な経験を重ねていると言えるかもしれない。しかし、この章で得られた最も根本的なものは、そうした専門性を獲得することによってあらためて専門性が理解される、という点である。そしてこのことこそ、何にもまして、エイズ活動家が獲得できたことではなかったか。

結論　ゴーレムの機能するところ

果たされた約束

このシリーズの最初の書物となった『ゴーレム』での結論では、科学が一般の人々の関心事になるような場面でこそ、その書物が広汎な意義を持っているはずだと論じた。本書でわれわれは、その約束を果たしたつもりである。

チャレンジャー号の爆発を扱った章では、人間の犯すエラーが技術的なミスにどのように取り込まれるのかが示され、またシステム全体に対して曖昧なところが残っているような場合には、当該の個々人を責めるだけでは不公平であることも示された。

チャレンジャー事故は、科学の成果を離れたところから一般の人々が眺めている場合に、そこで描かれる描図は、単純化され過ぎたものというばかりでなく、むしろひどく歪んだものとなる、ということを示す多くの事例のなかの一つである。ノーベル賞受賞者のリチヤード・ファインマンは、テレヴィジョンで、ゴムのO（オー）リングを氷水の中に入れるだけで、それが弾力性を失うことをやって見せた。このデモは、良く言って、あまり意味のないものであった。低温がゴムに与える影響に関して、技術者たちは、とうの昔から十分理解してきたからである。また悪く言えば、このデモは、危険な誤解を起こさせるはったりである。科学的分析の最も単純なモデルをひけらかしたに過ぎない。問題の核心は、低温がOリングにどう影響したか、ではない。NASAが、その点が原因となってまずいことが起こると信じるに足る理由を持っていたかどうか、である。ファインマンの実験は、お利口な科学者がいさえすれば、問題はいとも簡単に解決できるのだ、という印象を与えてしまう。

ファインマンは、私たちすべてに、科学的方法の持つ能力を信ぜよ、とのたまう。しかし、この盲信は、実際の技術の現場から時間的、空間的にも、また理解という点でも、ある程度以上安全に離れている限りにおいてのみ、維持できるものだ。この離れている距離こそ、技術にも科学にも盲信を与えるものである。盲信の後には、盲不信がくる危険が常に存在している。

列車と飛行機の衝突実験の章と、パトリオット・ミサイルの章とは、距離こそが盲信を与えるというメッセージを強めるものだろう。どちらも、現場から離れたときに、どのような歪曲が起こるかを示している。

計量経済学モデルに関する章では、科学の規範的なモデルが、無批判に適用されたときに陥る過ちを示している。社会科学は自らの方法論を持っており、そのなかにはおよそ定量的ではないものも含まれている。数学化だけが、健全な結論へ到達する鍵だと社会科学者が考えている限り、社会科学は逆立ちしてしまう。計量経済学モデル主義者の場合には、問題の科学――つまりはその専門領域――は数学モデル（精妙な訓練の実践から生まれた）のなかには存在せず、長い経験から生じる判断のなかにこそ存在するものであることを論じた。

実験者の悪循環――本書の目的からすれば「技術主義者の悪循環」という名で呼び変えたいが――の最も歴然たる実例が、石油の起源を取り扱った章に見られる。二つの井戸が掘られた。どちらも、石油の起源を巡る問題に曖昧さのない解決を与えようと企画されたものであった。結果はそうならなかった。もっとも、技術主義者の悪循環は、本書のどこでも見出すことができる。

『ゴーレム』の結論では、「鑑識科学」という話題があった。本書では、この鑑識科学の実例を示すことはできなかったが、世界のなかで実際に起こった出来事が、私たちの分析に追いついてきたという点を指摘しておくのも意味があるだろう。驚くべきことに、ここ一年ばかりの間、全世界のテレヴィジョンの視聴者はＯ・Ｊ・シンプソン訴訟においての検察・弁護側のやりとりのなかで、科学的証拠がどのように食い荒らされるかを見てきた。

ＤＮＡに関する証拠を巡って相反する主張が行われたのを、視聴者と陪審員はどう受け取ったか。検察側としては、ＤＮＡの証拠こそ、シンプソンの有罪を示す議論の余地のない立証を用意するものであると主張した。弁護側では、それは資料による裏付けのない実験室的な方法に依存した偏向的な議論立ての結果であり、警察のやり口に付きまとうものだと主張した。これこそ『ゴーレム』が予見したことだった。

科学に関するゴーレム的な見方は、専門家の提出する証拠が法廷ではいとも簡単に役立たずになってしまう理由を示すばかりではなく、どうすれば証拠が尊敬を再獲得できるか、という点も示してくれる。専門家が一致しないということは、その証拠を無視してよい十分な理由にはならないのであって、専門家の証人が彼らの科学的な手続きに関して常に完全な記述を与えることができるというわけではない、ということは一般に認識され始めている。シンプソン事件では、検察側の証人ロビン・コットン博士は、ことが完全に形式的に定められた規則通りに行われたと示すことができるようなやり方で、自分の行った実験の詳細を記述することは、自分に課せられた仕事ではない、と主張した。その点については、法廷は自分の専門家としての力量を信用すべきである、と博士は主張したのであった。判事イトーは、それを承認した。専門家のモデルとしては、これは不合理ではない。

あらためて言うが、専門家としての専門家の発言は、当該の問題にその専門がぴったり合っているときにのみ、私たちの判断を左右できるのである。専門性は誤って利用され得るのだ。リスク分析はそうしたものの一つである。例えば、石炭を燃やして、その代わり肺疾患になるリスクを甘受するか、核燃料を燃やして、その代わり核の破局の結果、人類共同体を死に追いやるリスクを甘受するか、というリスク分析では、私たちはどちらをとるか、自身の好みに従う権利を持っているのである。確かに、化石燃料を燃やした排ガスを含む空気を呼吸することで結果する死者の数の方が、核の破局によって生まれる死者の数よりも確率的には大きそうだ、という専門家の計算はあり得るだろう。しかし、この予言を行うための専門性は、特化された確率計算に関する専門性ではあっても、どういうリスクをどう受け入れるか、という判断についての専門性ではない。第一に、原子力と絡むリスクは政治情勢に依存するところが大きい。テロリズムやアナーキズムが横行するところでは、原子力は化石燃料の場合にはあり得ないようなリスクが増大する。つまり、原子力には二つの種類のリスクがあることになる。一つは核爆発のリスクであり、もう一つは極端な圧制的政治体制から来るリスクである。こうした因子に関して、計算の専門性は役に立たない。第二には、計算の専門性は、リスクの分布に関して存在する偏向を考慮できない。私たちは、原子力プラント周辺の特定の小さな共同体のなかで一万人の死者が出るのと、極めて大きな母集団のなかで一般的に一〇万人の死者が出るのと、どちらをとるかと言われれば、後者をとるのではなかろうか。個々人の死は日常的な事柄に属するが、小さな共同体が一つ事実上消失することは、そうではないからである。ゴーレム科学・技術は専門家からなっており、専門家は尊敬されるべきである。しかし、その専門性が何を構成しているのか、また何に対して適用できるのか、ということについて、何の理解もないままに、ただ専門性だから無条件に尊敬する、というわけにはいかないのである。無条件な尊敬は、科学・技術を呪術扱いすることにほかならない。

リスクを一般民衆がどう受け入れるか、という問題では、私たちは、経済学者たちの場合に得られた結論とは逆の結論を導くべきである。どちらの場合も、専門家のグループが計算をすべく動員された。経済学者の場合には、彼らは経済の働きのなかで、専門性を与えられたのであった。リスク分析の場合には、計算することがそのまま、リスクの受け入れにおける専門性を与えることにはならなかった。

第一巻で行われた主張の多くを描写したときと同様、本書では専門性の限界を探求してきた。チェルノブイリ事故とエイズ治療に関する章では、こうした専門性の限界は、必ずしも形式的な資格に裏書きされた専門性のそれと重ならないことが示された。厳密な形式主義的な手続きに従うことで、科学、技術、あるいは医療などを実践しようとして専門的訓練を受けた人々は、しばしば実践家としては効率が良くないのである。これに反して、資格とは無関係な、形式から自由な経験を重ねることには、計り知れぬ価値があり得る。しかし、私たちは繰り返し繰り返し強調してきたが、こうした立場に立つことが、後者の貢献は前者の貢献より優れているという考え方を正当化するものではない、ということだ。

専門性こそ鍵である。そして専門性は、時には非正統的なルートでも獲得できるものなのだということが判っている、と言いたいのに過ぎない。

カンブリアの農夫たちが、チェルノブイリの悲劇の余波を論じる点で、科学者たちと取引をしたといっても、それは科学の一般的な評判とは無関係である。最近イギリスで起こった出来事、つまり狂牛病（BSE）の蔓延の場合でも全く同じである。この病気は種と種の間、例えば牛と羊の間（あるいはその逆）で伝染するものだろうか。それは人間の新しい型の脳症の原因なのだろうか。ハンバーガーは食べても大丈夫なのだろうか。科学者の共同体からは食い違う発言が聞こえてくるし、事件の全容を覆い隠そうとする試みもある。イギリスの食牛を輸出市場から締め出すかどうかという政治的な議論もある。曖昧な政策に継ぐ曖昧な政策が重なって、イギリスの牧畜業が崩壊したと喧伝される。こうした事態はいずれも、科学にとって都合の悪いものである。しかも多くの場合に、誤りは科学にはない。科学は、ある種の極めて微妙な問題に対してインスタントな答えを用意できなかった、しかもそこに誤った期待が掛けられた、というだけのことなのである。そしてこうしたことが重なって、科学が適切に答えられるような場合でさえ、人々は科学を非難するようになった。

このようなエピソードに伴って起こる幻滅は、科学や技術はもはや無価値であると言い立てられるほどに普及してはいない、という点は大切である。私たちの社会がもう一度暗黒時代に立ち戻るべきでないのなら、戻るべき場所はない。学ばなければならないのは、正しい期待である。科学も技術も、多くの「科学のファンダメンタリストたち」が言っているような、「高次な迷信」といったものではない。あるいは擬似宗教でもない。本書における事例研究は、ＢＳＥ論争のような事件が積み重なることで起こり得る、理性からの破局的な離脱を回避する助けとなることを目指して行われている。

結語

本書では政策提言は行わない。「ハンバーガーを食べろ」とも「ハンバーガーを食べるな」とも言ってはいない。私たちは読者に、対ミサイル用ミサイルを造ろうと言っている人々に投票しなさいとか、造ってはいけないと言う人に投票しなさいとか、強制しているわけでもない。すべての薬品は無作為・対照実験で検査されるべきだとも、あらゆる治験は科学的実験に関する倫理的な配慮を最優先すべきだとも要求しているわけではない。本書で目指したことは、そうした事柄について考える場を提供することである。技術発展に関してあり得べきモデルが一つしかなく、それが、別の可能性を一切否定するような、失敗に対置して完璧を定めるものであるとすれば、技術的な世界について云々することは意味を失う。完璧などということは決して得られず、そこに結論として残されるのは「失敗」だけだろう。それこそが、前著『ゴーレム』で、あってはならない考え方として指摘したものだった。

ゴーレム・シリーズの第一書では、最前線の科学者を、沸騰する水の温度を測ろうとする高校生に喩えた。序論でも述べたように、技術にあっては、恐らくは、コックか植木屋の喩えの方がよいのではないか。台所や庭園でぎこちなくしている人々の誰もが、自分たちよりも優れた専門家はいないなどとは思わないだろう。しかし、コックにせよ植木屋にせよ、彼らが常に完全なスフレを造れるとか、完全な草花の模様の花壇を造れるとは、誰も期待しないはずである。現場を重ねるにつれて、より良くなる、ということは自明である。もちろん、天才的な技能の持ち主が何人かはいることも明白である。そして、料理とか造園に関する一人一人の意見が、すべて同じだけお互いに価値があるわけではないことも、議論の余地はない。神秘主義とファンダメンタリズムとを除去しよう。そうすれば、最前線の技術も、状況に適合しようとする専門性の現場として見えてくるだろう。それこそ、この技術の世界で私たちが自らの途を見出すさなければならない方法なのである。

訳者あとがき

本書は、二人の科学社会学者ハリー・コリンズとトレヴァー・ピンチによる *The Golem at Large: What You Should Know about Technology*, Cambridge University Press (1998) の全訳であり、*The Golem: What Everyone Should Know about Science*, Cambridge University Press (1993)（邦訳：『七つの科学事件ファイル』福岡伸一訳、化学同人、一九九七年）の続編である。科学社会学は、科学や技術を、さまざまな人々によって営まれ、政治・経済など他のさまざまな活動と互いに影響し合う社会的活動の一つとして理解し、その性質を明らかにする学問である。しかしまだ一般に馴染みのない分野でもあるせいか、場合によっては後に述べるような「誤解」を生みかねないものでもある。本書を日本の読者に紹介する訳者の務めとして、本書の目的や意義を明らかにしておきたい。

「科学・技術の成果が日常生活の隅々に浸透した現代では、その恩恵と危険について的確な判断ができるように、専門家以外の人々も科学・技術に関する何らかのリテラシー（素養）を身につける必要がある」としばしば言われる。しかし一般の人にも関わりのある環境問題に限っても、関連する専門分野は多様であり、いったいどの分野のどんな知識をどれだけ身につければ、「的確な判断」を下すのに十分なリテラシーなのかを定めることは難しい。そもそも科学・技術が一般市民の関心を呼び、市民が何らかの判断を迫られるのは、遺伝子組み換え食品の安全性論争のように専門家の見解自体が分裂しているときであり、「何が的確な判断なのか」自体が揺れている場合が多い。そんなとき必要な科学リテラシーとは何なのか。その答えの一つとして「科学社会学的なリテラシー」を一般読者に向けて示すことが本書と前著の目的である。

ところが、この科学社会学的リテラシーは、ときに科学者から誤解されやすいものでもあり、その原因は、科学や技術における「論争の歴史」に対する科学社会学特有の見方によるところが大きい。科学者は、論争が決着し、結果が確定した「完了形」の科学・技術の状態（終わった科学・技術）を重視することが多いのに対し、著者たち科学社会学者は、何が正しい結果なのかが判っていない「途上」の状態（活動中の科学・技術）を重視し、その時点で利用可能だった証拠や論理に照らして、ある科学的主張や証拠がどんな意味を持っていたかを考えるのだ。もちろん科学者も結果に至る過程を大事にするのだが、その過程は実際の歴史とは違うことが多い。前著での例で言えば、今日、アインシュタインの一般相対性理論の決定的証拠として挙げられる太陽の重力による光線の屈折に関するエデイントンの観測結果は、データの選択や解釈がかなり恣意的だった。科学の教科書や通俗書には、科学の研究は筋道立った論理と明確な実験的証明によって進められると書かれているが、一つ一つの実験に限って言えば、その結果の解釈は多様であり、どの解釈を選ぶかは学界内の力関係や科学外の政治的・思想的立場などに左右されることも多いのである。

とはいえ、このように歴史の実際を明かすことは、今日正しいとされている相対性理論のような成果はすべて間違いであるとする、いわゆる「反科学」を唱えることではない。前著に対しては、まさにそうした批判が一部の科学者から浴びせられ、誤解を解くために著者たちは、三〇ページにわたる「あとがき」を追加した第二版まで出している。著者たちのポイントは、科学理論の正否は、膨大な数の証拠が積み重ねられ、互いに支え合った結果として決められるものであり、論争の途上に留まって一つ一つの実験や論証の瞬間を切り出してみれば、それらの証拠能力は弱々しく、論争の道行きは錯綜していることを示す点にある。力持ちだが不確実で危なっかしいユダヤ神話の巨人「ゴーレム」としての科学と技術という喩えは、この活動中の科学や技術の不安定さを表している。逆に言えば「決定的実験と明確な論理」という明快なストーリーに彩られた科学者による歴史の説明は、証拠の積み重ね全体を最終成果との関わりに照らして振り返り、枝葉末節を刈り取った結果、後知恵的に得られたものなのだ。それは科学理論が最終的にどういう論拠に支えられているのかを学ぶのには適した説明方法だが、その理論がどのようにして生み出されたのかを実際の出来事の経過に即して理解するのには適していない。科学者たちが著者たちを批判したのは、科学の歴史の説明には、科学者のものとは目的も着眼点も異なる科学社会学的なやり方があるということが、科学者たちにうまく伝わらなかったからなのである。

それでは、なぜ著者たちは、わざわざ科学者とは異なる科学の見方を選び、科学知識が生まれる細切れの瞬間を取り出そうとするのだろうか。とくに、その見方を一般の人々にとって重要な科学リテラシーと考えるのはなぜなのか。それは、先にも述べたように一般市民にとって科学・技術が問題となるのは、市民の判断の拠りどころとなるはずの専門家自身の意見が分裂し、対立している場合が大多数だからだ。さらに言えばそういう場合には、純粋に学術的な基礎科学ではなく、政治的・経済的な利害も深く絡んだ応用科学や技術が問題となっている。そこで市民が目撃するのは、まさに本書や前著で明らかにしているようなゴーレム科学、ゴーレム技術の姿だ。

そのような科学・技術の姿を前に「決定的実験と明確な論理」といった教科書的な科学方法論を持ち出すことは、かえって現実から目を逸らすことになる。たとえば「原子力発電所の差し止め訴訟で原告敗訴」というニュースを見たとき、それは発電所の安全性が立証されたからだと考えることは、あまりに素朴だ。そういうときにはまず「誰が立証責任を負っていたのか」を疑うべきなのだ。日本の裁判では、被告側による安全性の証明ではなく、研究施設もなく、必要な情報も企業や行政に秘匿されたままの原告側による危険性の証明に立証責任が課せられており、被告が圧倒的に有利になるかたちで審理が行われるのが実状である。また公共事業の環境アセスメントの委員会が、地元の人々を一切排除して、初めてその土地を訪れる専門家だけで占められていたとすれば、それだけで委員会の結論を疑うのには十分だろう（本書6章参照）。

さらにもう一歩踏み込んで、一般市民が専門家たちの論争に加わる場合を考えてみよう。もちろんそのときには、論争の中身を理解するためにある程度の専門知識も必要だろうが、それぞれ自分の仕事や生活を抱え、しかも専門家のように実験のための研究施設を持たない一般市民が、専門家と対等に渡り合えるようになることはほとんど不可能だ。市民にとってより切実に必要なのは、どこに行けば必要な情報が得られるのか、その情報を解析し、市民の疑問に応えて、行政や企業の専門家が出す見解に対するカウンター・レポートを作成したり公聴会で証言してくれる専門家はどこにいるのかに関するリテラシーだろう。実際、欧米には「サイエンス・ショップ」や「コミュニティ・ベイスト・リサーチ（Community-based Research）」と呼ばれるそうした市民支援型の研究や専門家の紹介を行うNGOや大学組織とそのネットワークがあり、そうした活動に関する科学社会学的な研究も進んでいる。

しばしば科学リテラシーを巡る議論は、「DNAとは何か」、「仮説の検証とは何か」といった知識や方法論をどれだけ人々が理解しているかという話題に終始しがちだ。しかし、そうした知識が本当に市民にとって意味のある生きた知識になるには、科学や技術の成果が生み出され使われるプロセスを、その社会的背景も含めて理解し、疑いを持つことができるような科学社会学的な洞察力や、専門家によるさまざまな市民支援のサービスが必要なのである。訳者として、本書がそうした生きた科学リテラシーの普及の一助となることを願ってやまない。

最後に、本書の翻訳では化学同人編集部の加藤貴広さんには大変お世話になった。訳者代表として深い感謝の念を記したい。

二〇〇一年春の京都にて

訳者代表　平川秀幸

文庫版訳者あとがき　科学論の歴史展開とポスト・トゥルースの時代

本書は、ハリー・コリンズとトレヴァー・ピンチによる *The Golem at Large: What You Should Know about Technology*, Cambridge University Press, 1998 の全訳であり、二〇〇一年に化学同人より『迷路のなかのテクノロジー』の邦題で出版された。この度、筑摩書房より文庫版として再版される機会に恵まれた本書に、新しいあとがきを記したい。

前訳書のあとがきでは、本書が示しているように、専門の研究者ではない一般の人びとが、科学や技術について、科学社会学――あるいは科学論（science studies）――の見方を通して考える意義について説明してみた。その「見方」とは、科学や技術を、最終的な「答え」が確定していない、「進行中の科学・技術」あるいは「作られつつある科学・技術」として見ることであり、そうした見方を一般の人びとが身につけることに意義があるのは、そのような科学や技術の姿こそ、現実の社会のなかで人びとが出くわすものだからだ。それは、たとえば、このあとがきを書いている時点でいえば、科学的に未知の事柄が多く、治療薬やワクチンの開発がなかなか進まない新型コロナウイルス感染症のパンデミックに世界が呑み込まれた状況だ。そこでは、学校の教科書にあるような「唯一の明快な答えのある科学」というイメージは色あせ、度々誤っては修正を繰り返し、多数の有名無名の学者たちが異なる説を唱えあう百家争鳴のなかにある「ゴーレム科学」や「ゴーレム技術」を目撃することになる。

そのような現実社会のなかの科学や技術の姿について知ることがいかに大切かは、前訳書のあとがきだけでなく、何よりも本書そのものが示しているとおりだ。このあとがきでは、一歩踏み込んで、本書をきっかけに、科学論の世界に関心をもった読者のみなさんに向けて、科学論の系譜における本書の位置づけや意義を、手短ながらお示ししたい。

そこで足がかりにしたいのが、前訳書が出版された翌年、原著の出版から四年後の二〇〇二年四月に発表された「科学論の第三の波：専門知と経験についての研究（"The Third Wave of Science Studies: Studies of Expertise and Experience", *Social Studies of Science*, **32** (2): 235-296)」という長大な論文である。本書の著者のひとり、ハリー・コリンズと、本書の第五章が依拠している論文の著者ロバート・エヴァンズによるこの論文は、発表されるやいなや、科学論の研究者コミュニティに大きな論争をもたらした。同論文に誘発された論争ゆえに、そのタイトルにちなんで「第三の波」論争と呼ばれている。掲載誌の *Social*

Studies of Science の半世紀の歴史で、同論文の引用数はトップクラスであり、二〇一〇年の八月には日本でも、著者たちを含む科学論の研究者たちによる国際ワークショップが開かれている。

この論争の詳細に立ち入ることは、本稿の目的ではない。ここで紹介したいのは、コリンズらが「第三の波」論文で示した三つの「科学論の波」という概念である。著者らが論文で断っているように、これは「理想化されたモデル」であり、多種多様な科学論の研究のデリケートな詳細や差異を太筆（broad brush）で塗りつぶした乱暴なものなのだが、科学論が、どのような問題をどのように考えてきたかの系譜を大まかにたどるうえでは便利なモデルである。

では、科学論の波とはいったいどういうものだろうか。第一から第三の波まで通底している中心的テーマは、民主主義社会における科学や技術など専門知と政策決定との関係はどのようなものであり、またどのようであるべきかという問題である。コリンズとエヴァンズはそこに、「正統性の問い（problem of legitimacy）」と「拡大の問い（problem of extension）」という二種類の問いがあると論じた。以下、これに即して説明していこう。

第一の波——実証主義とテクノクラシーの時代

まず「第一の波」は、時代区分では一九五〇〜一九六〇年代のものであり、科学がいかなる仕方で「成功」しているかを理解し、説明したり、さらなる成功がもたらされるようにする方策を論じたりすることが中心テーマであり、その成功の基盤に疑いを向けるということはほとんどなかった。学問的には、理論や実験に関する科学方法論（演繹と帰納、実証と反証）、科学と非科学・疑似科学の区別の基準、実在論といった主題を中心とする科学哲学が基本であった。社会や政治との関係では、科学や技術の専門的訓練を十分に受けていることが、その人が自分の専門分野だけでなく、他分野についても権威と断固たる態度を持って発言することを許す資格だと考えられていた。そうやって獲得された専門知は、門外漢には近づきがたい秘教的で権威的なものであり、科学や技術に関わる意思決定は、専門家の判断に基づくトップダウンしかありえないとも考えられていた。わかりやすくいえば、優れた科学者がもたらす価値中立的で確実な科学的知見が優れた政策を導くというもので、科学思想としては「実証主義」、政治思想としては「テクノクラシー」の考え方である。科学と政策決定の関係を、前者から後者への一方向的な直線的関係とみなしていることから「リニアモデル」とも呼ばれている。この波においては、拡大の問いは存在せず、正統性の問いも意識されていなかったとコリンズらはいう。

第二の波——社会のなかで作られつつある科学への着目

このように科学について楽観論ともいえる「第一の波」に対して、一九七〇年代初めから始まる「第二の波」では、科学の確実さや価値中立性に対する疑いが基調となる。基本となる方法論立場は、相対主義的な「社会構成主義（social constructivism）」であり、「科学知識の社会学（Sociology of Scientific Knowledge: SSK）」や「実験室研究（Laboratory Studies）」、「技術の社会的構成（Social Construction of Technology: SCOT）」、「アクターネットワーク理論（Actor-Network Theory: ANT）」など、さまざまな研究潮流が生まれた。科学社会学を中心としつつ、政治学や経済学、法学など他の人文学・社会科学が交差する学際的領域として、「科学論」や「科学技術論（Science and Technology Studies: STS）」、あるいは「科学技術社会論（Science, Technology and Society: STS）」という呼称が次第に使われていくようになる。(1)

社会構成主義的な科学論で第一に基本となるのは、科学や技術を、完成された体系として見るのではなく、さまざまな仮説や解釈が競合する論争的な「作られつつある科学」のプロセスに着目することだ。第二に、このプロセスを、それを取り囲む社会的文脈から切り離し、自律的な営みとして見るのではなく、政治や経済などと相互作用している社会的プロセスとして見ることや、科学者共同体の内部においても、科学者個人やグループ、学派のあいだの交渉的なプロセス（科学者共同体内部の社会的プロセス）にメスを入れることが、社会構成主義たる所以だ。研究の対象となるのも、政策決定や裁判など現実の社会のなかで利用されている科学や、実用的な技術である。その中心的な問いは、たとえば遺伝子組換え作物のリスクのような科学的・技術的な問題をめぐる論争において、科学者間の合意はいかにして達せられるかである。第一の波であれば、この問いに対する解答は、「実験や観測のデータと仮説の照合や理論的推論によって」だが、第二の波では、そうした科学内的な要因だけでなく、研究者たちの科学外的な利害関心や価値観、信念、説得や交渉を通じての研究間の合意形成のプロセスによってであると説明される。

このようなアプローチの意義については、「社会構成主義」という言葉は用いていないものの、前訳書のあとがきで説明しているので、詳細には立ち入らない。ここで着目するのは、先に述べたように、民主主義社会における専門知と政策決定の関係だ。第二の波では、第一の波で想定されたようなリニアモデルは成り立たない。意思決定が依拠しようとする科学は不確実で複数の仮説が競合し、社会の利害関係など政治性をはらんでいる。確かな答えにいずれ到達するとしても、それにはたくさんの時間とコストがかかり、社会が求める速さでは得られない。コリンズはこれを、「政治の意思決定は、科学が合意に達するよりもずっと速く進む」という言い方でよく指摘している。ここで持ち上がるのが、科学が十分に確かな答えを出せない状況で、いかにすれば合理的で適切なものとして広く社会で受け入れられる決定を下すことができるかという「正統性の問い」であり、第二の波の科学論はこれを、意思決定に参加・関与する者の範囲を専門家以外まで、場合によっては一般市民まで含めて拡大し、いわば科学的な正統性の不足を、参加民主主義的な正統性で補うことだった。社会の問題解決におけるローカルノレッジ（現場の問題に通暁した政策決定者や実務家、職業人、生活者など利害関係者がもつ現場知）の意義を強調する「民衆の知恵説」が普及した。そうした研究の代表例が、本書でも紹介されているブライアン・ウィンの羊農家やスティーヴン・エプスタインのエイズ活動家たちの事例である。

このような第二の波の科学論によって、たとえば「コンセンサス会議」など、科学技術が関わる政策的問題の検討に、一般市民も含めた多様な人びとが参加し、それぞれのローカルノレッジや価値観に基づいて、専門家とは異なる仕方で問題を考え、政策提言等を行う「科学技術への市民参加」の試みが、一九九〇年代なかば以降、欧州諸国、北米、そして日本でもさまざまなかたちで行われ、科学技術の「民主化」が進められてきたのだった。

第三の波——専門知の復権

いうまでもなく、このように科学論を区分するコリンズ自身も、本書の共著者ピンチとともに、第二の科学論の研究潮流を主導してきた研究者であり、本書は、この潮流の成果を広く一般読者に向けて紹介するものにほかならない。しかしながらコリンズは、エヴァンズとともに、さらにもう一歩踏み出して、科学論の第三の波を打ち出した。そこで問題となるのが「拡大の問い」である。それが問うのは、科学が関わる意思決定に専門家以外の多様な人びとが参加・関与するとして、果たしてどこまでその範囲を拡大すればいいのか、いいかえれば、意思決定において非専門家が貢献できる領域と専門家が貢献すべき領域との境界をいかに設定するかという問題である。その前提には、たとえ科学が十分に確実で客観的な答えに到達していない状況であっても、それを民衆の知恵で埋め合わせれば間に合うわけではなく、やはり何らかのかたちで科学の専門知に基づく意思決定を行う道を探るべきではないかという問いかけがある。

このような問題提起は、他の多くの科学論研究者には、第二の波が過去のものにした反民主主義的な科学主義やテクノクラシーに回帰する「裏切り」のようにも見え、大きな批判を招いた。(2) しかしコリンズらの意図は決して、自身も深く関わってきた第二の波の科学論の成果を否定することにあるのではない。第二の波の成果を下敷きにしつつも、それによる科学の相対化が行き過ぎて、専門家の見方と非専門家の見方を等し並に扱い、科学や技術に関する問題を何であれ多数決にかけてしまうような「技術に関するポピュリズム」に横滑りすることがないように、専門知が役割を果たす適切な場所を確保し、専門家に委ねるべく問題と専門家のみに委ねてはいけない問題を区別しようというのが、第三の波の目論見である。またこれは、政策決定において、政治家たちが下す政治的決定と、それに根拠を与える専門家たちが下す科学的決定とを区別することで、後者が前者によって歪められたり、前者の妥当性を後者に照らして検証することが困難になったりするのを防ぐことでもある。さらにそれは、ある問題をめぐって、「自称」も含めて多数の専門家が異なる意見をマスメディアやSNSで発しているときに、最終的な正解は分からずとも、相対的にどの専門家たちの判断を尊重したらよいのかを識別する手がかりとなりうるものだ。あるいは、専門家の共同体において異端的な専門家や、門外漢（他分野）の専門家の主張が、政治家や運動家、一般の個人に、都合よくつまみ食いされて、政策決定や個人の意思決定において重大な誤りが犯されることができるだけなくなるようにすることにもつながる。これらの必要性は、新型コロナウイルス感染症をめぐる科学と政治を経験している私たちには、とくに痛感されるものだろう。

そして、これらの目的を果たすためにコリンズとエヴァンズが提案し進めてきたのが、「第三の波」論文の副題にもなっている「専門知と経験についての研究（Studies of Expertise and Experience: SEE）」であり、二〇〇七年に出版された共著書、*Rethinking Expertise*（邦訳：『専門知を再考する』、奥田太郎・和田慈・清水右郷共訳、名古屋大学出版会、二〇二〇年）では、「専門知の周期表」という専門知の分類を示している。[3] これは、職業的な専門家から一般市民までが、科学の問題や、専門家の能力や信頼性について判断する際に用いる知を分類したものであり、一般市民も含めて誰もがもつ「遍在的専門知」、専門分野に固有の「特定分野の専門知」、他の専門知を鑑定する「メタ専門知」と、それらの下位分類がある。このようにすることによって、政策決定や個人の意思決定において、どのような専門家の主張に重きを置くか、何を専門家に委ね、何を委ねるべきではないかの識別眼を養おうというわけである。

そうした専門知の分類の中で最も興味深いのは、特定分野の専門知に含まれる「貢献型専門知（contributory expertise）」と「対話型専門知（interactional expertise）」という概念である。貢献型専門知とは、特定分野の専門家集団の中で熟達した研究の実践を重ねることで、その分野固有の「暗黙知」を獲得し、その分野に貢献することができる専門家の能力のことである。たとえば特定分野のテクニカルな論争に参加し、生産的な議論を行い、分野の発展に寄与しうる研究を行い、論文を執筆できる能力が含まれる。暗黙知は、物理化学者で科学哲学者でもあったマイケル・ポランニーが生み出した用語で、ある実践に習熟することを通じて得られ、その実践を遂行できる者なら誰でも持っているが、それ以外のものには言語では伝えがたい能力のことだ。

他方、対話型専門知は、特定分野において貢献型専門知の持ち主のような貢献を生む実践の能力は持たないが、その分野の専門用語を使いこなすだけの暗黙知も含めた言語についての能力だ。これは科学の特定分野に関する社会学者（コリンズ自身は重力波天文学を対象とする社会学者）や優れたジャーナリストなどが備えているもので、ある分野の貢献型専門知をもつ専門家とそれ以外の人びととの架け橋となるような専門知である。

以上、コリンズとエヴァンズの「科学論の波」論に基づいて、科学論の系譜をたどってみた。先にも述べたように本書は第二の波に属するものだが、同時に、「専門知を尊重する」という第三の波の志向も併せ持っている。一方でそれは、第一の波が描いていたような「確実で価値中立的な知識」という素朴な科学観を退け、不確かで政治性を帯びたゴーレム科学やゴーレム技術という現実の姿を提示している。しかし同時にそれは、苦渋に満ちた試行錯誤の果てに、科学や技術がいかにして信頼できる答えに到達するのかを物語ってもいる。本書の「結論」でも次のように述べられている。「科学に関するゴーレム的な見方は、専門家の提出する証拠が法廷ではいとも簡単に役立たずになってしまう理由を示すばかりではなく、どうすれば証拠が尊敬を再獲得できるか、という点も示してくれる。」

このような志向性をもつ本書の先で生まれた第三の波の思想は、無条件で科学の専門知の有効性を称揚し、専門家の意見を私たちが無批判に受け入れることを求めるものでないのは言うまでもない。第三の波が科学に寄せる信頼は、第一の波がそうしようとしたように、科学の専門知の合理性や認識論的な優越性が科学的方法等によって保証されていることを根拠にしたものではない。実際、最善の専門知に基づいたからといって、いつも成功する保証はどこにもない。それでも私たちには、専門知を尊重し、専門家の判断に頼らずには解決できない問題がある。その意味で、科学とその専門家に対する信頼は、「委任(commitment)」というべきなのかもしれない。そうした態度についてコリンズは、「第三の波」論文への批判に応える論文で[4]、「選択的近代（elective modernism）」という概念を提示している。それは、「科学的な手続きが最良の進路であるとか、または科学的価値が最良であるといったことは証明できない」が、「そうした手続きや価値を選ぶ（それらを「選び取る（elect）」）べきだ」という考え方を指している。「ポスト・トゥルース」の時代ともいわれ、事実や論理がないがしろにされ、政治や情動的なポピュリズムの波に学問の独立性が脅かされることもしばしば起こる現代では、この選択は極めて重大な知的かつ政治的な意義をもっているといえるだろう。

政治思想の観点からいえば、このような「第三の波」論の考え方は、国民の代表による議会の役割を重視するリベラルデモクラシー（自由民主主義）の一種ともいえる。そして、リベラルデモクラシーが、議員への無条件の信任（おまかせ民主主義）ではないように、科学の専門知に対しても私たちは、おまかせでいるわけにはいかない。遍在的専門知やメタ専門知、「民衆の知恵」といったさまざまな知を用いて、第二の波が明らかにしてきた科学内部の不確かさや政治性にメスを入れながら、「選択的近代」にコミットし、専門知を適切に活用できる社会を作っていくことが求められている。本書がそのための一助となることを願いたい。

二〇二〇年　初秋の京都にて

訳者代表　平川秀幸

注

（1）これら科学論の潮流について詳しくは、筆者も含めた日本の研究者がまとめた『科学論の現在』（金森修・中島秀人編著、勁草書房、二〇〇二年）を参照されたい。

（2）「第三の波」論文をめぐる論争の状況については、和田慈「「第三の波」をめぐる文献解題」（『思想』二〇一一年第六号、一〇四〜一一一頁）を参照。同号の『思想』は「第三の波」の特集号である。

（3）コリンズの専門知論をより一般向けに解説したものとしては、ハリー・コリンズ『我々みんなが科学の専門家なのか？』（鈴木俊洋訳、法政大学出版局、二〇一七年）がある。

（4）Harry Collins. "The Third Wave of Science Studies: Development and Politics"（『年報　科学・技術・社会』第二〇巻、二〇一一年、八一〜一〇六頁）：ハリー・コリンズ「科学論の第三の波——その展開とポリティクス」（和田慈訳、『思想』二〇一一年第六号、二七〜六三頁）

Wynne, B. (1989) 'Sheepfarming after Chernobyl: A Case Study in Communicating Scientific Information', *Environment,* **31**, 10-15, 33-9.

Wynne, B. (1996) 'Misunderstood Misunderstandings: Social Identities and Public Uptake of Science', in A. Irwin and B. Wynne, *Misunderstanding Science? The Public Reconstruction of Science and Technology,* Cambridge and New York: Cambridge University Press, 19-46.

Pinch, T. J. (1986) *Confronting Nature: The Sociology of Solar-Neutrino Detection,* Dordrecht: Reidel.

Pinch, T. J. (1991) 'How Do We Treat Technical Uncertainty in Systems Failure? The Case of the Space Shuttle *Challenger*', in T. La Porte (ed.) *Responding to Large Technical Systems: Control or Anticipation,* Dordrecht: Kluwer, 137-52.

Postol, T. A. (1991) 'Lessons of the Gulf War Experience with Patriot', *International Security,* **16**, 119-71.

Postol, T. A. (1992) 'Correspondence', *International Security,* **17**, 225-40.

Reports of the Seven Wise Men. HM Treasury.

Report of the Presidential Commission on the Space Shuttle Challenger Accident (1986). Five Volumes. Washington, June 6.

Shapin, S. (1988) 'The House of Experiment in Seventeenth-Century England', *Isis,* **79**, 373-404.

Shapin, S. (1994) *A Social History of Truth: Civility and Science in Seventeenth-Century England,* Chicago: The University of Chicago Press.

Stein, R. M. (1992) 'Correspondence: Patriot Experience in the Gulf War', *International Security,* **17**, 199-225.

Van Creveld, M. (1985) *Command in War,* Cambridge, Mass.: Harvard University Press.

Vaughan, D. (1996) *The Challenger Launch Decision: Risky Technology, Culture, and Deviance at NASA,* Chicago: The University of Chicago Press.

Wallis, K. F. (ed) , Andrews, M. J., Fisher, P. G., Longbottom, J. A. and Whitley, J. D. (1987) *Models of the UK Economy: a Third Review by the ESRC Macroeconomic Modelling Bureau,* Oxford: Oxford University Press.

Wynne, B. (1988) 'Unruly Technology: Practical Rules, Impractical Discourses and Public Understanding', *Social Studies of Science,* **18**, 147-67.

tainty and Social Change in Macro-economic Modelling', *Social Studies of Science,* **27**, 3, 395-438.

Evans, R. J. (1997) 'What Happens Next? Can Economic Forecasters Foretell the Future?', Ph.D. Thesis, University of Bath.

Gieryn, T. F. and Figert, A. E. (1990) 'Ingredients for a Theory of Science in Society: O-Rings, Ice Water, C-Clamp, Richard Feynman and the New York Times', in S. Cozzens and T. Gieryn (eds.) *Theories of Science in Society,* Bloomington: Indiana University Press.

Gooding, D. (1985) 'In Nature's School: Faraday as an Experimentalist', in D. Gooding and F. A. James (eds.) *Faraday Rediscovered: Essays on the Life and Work of Michael Faraday,* 1791-1867, London: Macmillan.

Kuhn, T. S. (1961) 'The Function of Measurement in Modern Physical Science', *Isis,* **52**, 162-76.

Lewis, M. (1989) *Liar's Poker,* London: Hodder and Stoughton. (マイケル・ルイス『ライアーズ・ポーカー――ウォール街は巨大な幼稚園』東江一紀訳、角川書店、1990年)

MacKenzie, D. (1991) *Inventing Accuracy: A Historical Sociology of Ballistic Missile Guidance,* Cambridge, Mass.: MIT Press.

McCloskey, D. (1985) *The Rhetoric of Economics,* Madison, Wis.: University of Wisconsin Press.

McConnell, M. (1988) *Challenger: 'A Major Malfunction',* London: Unwin.

Ormerod, P. (1994) *The Death of Economics,* London: Faber and Faber. (ポール・オルメロッド『経済学は死んだ――いま、エコノミストは何を問われているか』斎藤精一郎訳、ダイヤモンド社、1995年)

'Performance of the Patriot Missile in the Gulf War', Hearing before the Legislation and National Security Subcommittee of the Committee on Government Operations, House of Representatives One Hundred and Second Congress, Second Session, April 7 1992.

参考文献

Atkinson, R. (1994) *Crusade: The Untold Story of the Gulf War,* London: HarperCollins.

Bijker, W., Hughes, T. and Pinch, T. (1987) *The Social Construction of Technological Systems,* Cambridge, Mass.: MIT Press.

Burrell, A. and Hall, S. (1994) 'A Comparison of Macroeconomic Forecasts', *Economic Outlook,* Briefing Paper, 29-35, February 1994.

Cole, S. A. (1996) 'Which Came First, the Fossil or the Fuel?', *Social Studies of Science,* **26**, 733-66.

Cole, S. A. (1998) 'It's a Gas!', *Lingua Franca,* December 1997/January 1998, 11-13.

Collins, H. M. (1985/1992) *Changing Order: Replication and Induction in Scientific Practice,* London and Beverley Hills: Sage. [Second Edition, Chicago: The University of Chicago Press.]

Collins, H. M. (1988) 'Public Experiments and Displays of Virtuosity: The Core-Set Revisited', *Social Studies of Science,* **18**, 725-48.

Collins, H. M. (1991) 'The Meaning of Replication and the Science of Economics', *History of Political Economy,* **23**, 1, 123-43.

de la Billiere, P. (1994) *Looking for Trouble: SAS to Gulf Command, the Autobiography,* London: HarperCollins.

Epstein, S. (1995) 'The Construction of Lay Expertise: AIDS Activism and the Forging of Credibility in the Reform of Clinical Trials', *Science Technology & Human Values,* **20**, 408-37.

Epstein, S. (1996) *Impure Science: AIDS, Activism and the Politics of Knowledge,* Berkeley, Los Angeles and London: University of California Press.

Evans, R. J. (1997) 'Soothsaying or Science?: Falsification, Uncer-

【ま】

【や〜わ】

【は】

【た】

【な】

【さ】

【か】

索引

【略号】

【あ】

本書は、二〇〇一年五月十日、『迷路のなかのテクノロジー』として化学同人より刊行された。

ちくま学芸文庫

解放されたゴーレム

科学技術の不確実性について

二〇二〇年十一月十日　第一刷発行

著　者　ハリー・コリンズ
　　　　トレヴァー・ピンチ

訳　者　村上陽一郎（むらかみ・よういちろう）
　　　　平川秀幸（ひらかわ・ひでゆき）

発行者　喜入冬子

発行所　株式会社　筑摩書房
　　　　東京都台東区蔵前二―五―三　〒一一一―八七五五
　　　　電話番号　〇三―五六八七―二六〇一（代表）

装幀者　安野光雅

印刷所　三松堂印刷株式会社

製本所　三松堂印刷株式会社

乱丁・落丁本の場合は、送料小社負担でお取り替えいたします。
本書をコピー、スキャニング等の方法により無許諾で複製することは、法令に規定された場合を除いて禁止されています。請負業者等の第三者によるデジタル化は一切認められていませんので、ご注意ください。

© YOICHIRO MURAKAMI／HIDEYUKI HIRAKAWA 2020

Printed in Japan
ISBN978-4-480-51022-8 C0140

CHI KU MA